D1282279

# MITTERRAND
# ET LES QUARANTE VOLEURS...

# DU MÊME AUTEUR

*Les corrompus*
La Table Ronde, 1971

*Dossier S... comme Sanguinetti*
Éditions Alain Moreau, 1973

*Tous coupables*
(Dossier O.R.T.F. — 1944-1974)
Éditions Albin Michel

*Les finances du P.C.F.*
Éditions Albin Michel, 1977

*La France communiste*
Éditions Albin Michel, 1978

*Les secrets de la banque soviétique en France*
Éditions Albin Michel, 1979

*La maffia des syndicats*
Éditions Albin Michel, 1981

*850 jours pour abattre René Lucet*
(Les secrets d'une exécution politique)
Éditions Albin Michel, 1982

*Lettre ouverte d'un « chien »*
*à François Mitterrand*
*au nom de la liberté d'aboyer*
Éditions Albin Michel, 1993

Jean Montaldo

# MITTERRAND
## ET
# LES QUARANTE
# VOLEURS...

Albin Michel

© Éditions Albin Michel, S.A., 1994
22, rue Huyghens, 75014 Paris

ISBN 2-226-06995-X

*En mémoire...*
*et conformément aux vœux*
*de mon ami François de Grossouvre,*
*suicidé à l'Élysée*
*le 7 avril 1994.*

« (...) Le suicide est l'effet d'un sentiment que nous nommerons, si vous voulez, *l'estime de soi-même*, pour ne pas le confondre avec le mot *honneur*. Le jour où l'homme se méprise, le jour où il se voit méprisé, le moment où la réalité de la vie est en désaccord avec ses espérances, il se tue et rend ainsi hommage à la société devant laquelle il ne veut pas rester déshabillé de ses vertus ou de sa splendeur. (...) Le suicide est de trois natures : il y a d'abord le suicide qui n'est que le dernier accès d'une longue maladie et qui certes appartient à la pathologie ; puis le suicide par désespoir, enfin le suicide par raisonnement. Lucien voulait se tuer par désespoir et par raisonnement... »

Honoré de Balzac,
*Illusions perdues.*

*« S'il m'arrive malheur,*
*c'est qu'on m'aura tué... »*

Jeudi 7 avril 1994. 21 heures. Appel téléphonique de Paris :

« Jean, une mauvaise nouvelle ! Notre ami le chasseur a été retrouvé mort, avec une balle en pleine tête, dans son bureau à l'Élysée. La police est sur place. Une dépêche va tomber dans quelques minutes.

— François mort ? Que dis-tu ? On l'a tué ?

— Non, il semble qu'il se soit suicidé. Je n'en sais pas plus. Sauf que François Mitterrand était ce soir au palais, pour participer en duplex à la soirée sur le sida retransmise simultanément par les six chaînes de télévision. En catastrophe, il a dû annuler son intervention.

— Un suicide ? Ça ne lui ressemble pas ! C'est insensé. Rappelle-toi ce qu'il n'a cessé de nous répéter ces derniers mois : " *S'il m'arrive malheur, c'est qu'on m'aura tué.... Ils auront ma peau. J'espère que vous ne m'oublierez pas, que vous saurez défendre ma mémoire...* " »

En hâte, je cherche mes notes, mon carnet. Oui, ces petites phrases y sont. Plusieurs fois. Je ne rêve pas. À la date de notre dernier entretien, elles y figurent encore.

« Non, Jean ! Apparemment, il s'agit bien d'un suicide.

— J'ai peine à le croire. Pas François, pas lui.

— Ne dis pas de bêtises !

— Qu'en sais-tu ? L'Élysée est le lieu idéal pour un crime parfait. »

Les images de mes récentes visites chez François de Grossouvre clignotent dans ma mémoire. Je ne sais encore ce qui s'est réellement passé. Quoi qu'il en soit, le résultat est là : François est mort. À l'Élysée ! S'il s'y est vraiment tué, c'est qu'on l'a poussé.

« Tu l'avais vu récemment ?

— Il y a encore une quinzaine de jours. Il avait bon pied bon œil. Avec son accord, j'ai continué de noter tout ce qu'il me disait. Il ne m'a pas paru déprimé. Bien sûr, à un moment, il était très ému. Il m'a semblé affecté. À cause de l'indifférence totale du président à l'égard des " affaires ", toutes celles dont on a tant reparlé ces temps derniers.

— Votre dernière rencontre, c'était quand, au juste ?

— Le 22 mars, en milieu de matinée, juste avant un rendez-vous avec son armurier. Les larmes lui sont venues aux yeux. J'ai tenté de lui remonter le moral. Alors, il est devenu très nerveux. Il a répété ce qu'il nous avait dit au début de l'été dernier [*le 29 juin 1993*], quand nous étions allés lui apporter ma

*Lettre ouverte* au président[1]. Avant de me quitter et d'entrer dans sa voiture, il a eu ces mots : " *Un jour, on va me flinguer...* " Et il a encore insisté : " *Je compte sur vous pour monter au créneau.* " »

Ce soir-là à Val-d'Isère, en Savoie — où je me suis justement retiré pour donner une suite à cette *Lettre ouverte* —, ces dernières paroles de François de Grossouvre m'obsèdent. Elles m'empêchent de dormir. Le drame est là. Il donne un sens terrible à tout ce qu'il nous a dit et répété ces derniers mois. L'aurions-nous mal compris ? Pourquoi cette violente sortie ? Comment a-t-il pu croire que l'autre François, celui de ses tourments, méritait l'honneur de son sacrifice, fût-il à l'Élysée ?

De François Mitterrand il savait tout. Combien de fois, éberlué, ne m'a-t-il pas entendu le mettre en garde contre la dangerosité de ce « grand pervers », dont les meilleurs psychanalystes disent en petit cénacle qu'il ne peut « maîtriser son pouvoir de nuire » ? Oui, pourquoi ne m'a-t-il pas écouté, quand je lui ai conseillé de le laisser sur le bord des routes vagabondes où il l'a si longtemps accompagné ? Je l'avais prévenu que cette histoire finirait mal, qu'il lui fallait démissionner, partir, claquer la porte, avant qu'il ne soit trop tard. S'il s'est suicidé, l'endroit qu'il a choisi pour mourir n'est pas innocent. C'est l'ultime message d'un homme blessé, la pire des punitions

---

1. *Lettre ouverte d'un " chien " à François Mitterrand au nom de la liberté d'aboyer,* Éditions Albin Michel, Paris, 18 juin 1993.

qu'il peut infliger à François Mitterrand, l'ami qui l'a trompé.

Ces derniers temps, chaque fois que je vais le voir, François de Grossouvre est en proie à une immense colère. Dans une étrange redite, il se plaint du président de la République, son ami perdu :

« Il n'a plus que deux obsessions, la mort et l'argent. »

En se tuant, François de Grossouvre l'a libéré de la mort, mais lui a laissé l'argent.

Je comptais sur la rédaction de ses Mémoires, à laquelle il s'était attelé, pour qu'enfin la vérité soit connue. J'attendais son manuscrit dont nous nous entretenions régulièrement. Je l'avais invité à en assurer seul la rédaction, pour que son récit soit plus authentique. Régulièrement, à sa demande, je lui rendais visite. Ce livre devait consacrer son divorce avec François Mitterrand. Mais quelque chose de secret le retenait. Il me disait ne rien vouloir publier avant le départ du président de la République.

Je n'avais pas compris que son propre départ, François de Grossouvre l'avait déjà choisi : il devait être celui d'un soldat, d'un homme d'honneur.

J'éprouvais une profonde affection pour cet homme toujours élégant, prévenant, d'une infinie courtoisie. Un personnage rare, complexe, mystérieux, sorti tout droit d'un roman balzacien. Nous

nous connaissions depuis plus de dix ans et avions appris à nous apprécier, dans des rapports d'estime, de grande confiance.

Tout aurait dû nous séparer : il était le confident et l'éminence grise de François Mitterrand, celui-là même dont je n'ai jamais cessé de dénoncer les turpitudes, depuis son accession au pouvoir, en 1981. Mais, malgré nos différences d'âge et d'origine, nous avions bien des choses en commun. Sa sincérité m'inquiétait. Au début, je ne pouvais comprendre qu'un tel homme, en un tel endroit — la présidence de la République ! — puisse proférer autant d'accusations à l'encontre de gens de son propre camp. Je ne pouvais m'y résoudre car, de toute évidence, cet intime de François Mitterrand n'était ni un traître ni un agent démoniaque.

Ma relation avec François de Grossouvre est étrange. Je n'ignore pas qu'il voit régulièrement d'autres journalistes, de droite comme de gauche. En leur présence, surtout s'ils sont de gauche, il n'a pas de mots assez durs pour qualifier les agissements de celui dont il reste pourtant, à l'Élysée, le confident. Malgré cela, je sais le président du Comité des chasses présidentielles aussi loyal que dévoué à la personne de François Mitterrand. Comme tous ses visiteurs, je me divertis beaucoup de l'entendre raconter les secrets, petits et grands, du pouvoir socialiste.

Souvent ses récits me déroutent. Il faut le voir fulminer contre la « trahison » des princes, le

« cynisme » du Sphinx, qu'il a cessé, ces temps derniers, d'appeler François.

« Prenez garde, me dit-il, il est méchant. Il peut être dangereux. Faites attention à vous. »

Au mois de janvier 1994, après les fêtes de fin d'année, je fais part à François de Grossouvre du titre de mon prochain ouvrage, *Mitterrand et les quarante voleurs*. Il plaisante :

« Quarante voleurs seulement ?

— Si vous y tenez, mon cher François, j'ajouterai volontiers des points de suspension. »

Trois mois plus tard, la disparition brutale de François de Grossouvre m'oblige à bouleverser le contenu de mon livre. Je dois raconter le règlement de comptes à l'Élysée dont il est, au soir du 7 avril 1994, la dernière victime...

*Faux " dément "*
*et vrais faux facturiers*
*à l'Élysée*

8 avril 1994, 7 heures du matin. Sur toutes les radios, le suicide de François de Grossouvre est amplement commenté. Ceux des socialistes pour lesquels il avait encore du respect ou de l'amitié se taisent. Ils ont la pudeur de ne pas intervenir.

Invité d'*Europe 1*, l'ancien ministre des Affaires étrangères Roland Dumas, qui fut l'un des grands amis de François de Grossouvre, donne le ton de la version officielle :

« Depuis quelques semaines, on me disait qu'il éprouvait quelques déceptions de la vie en général, comme des personnes qui avancent en âge et qui sont fatiguées par la vie publique... »

Ailleurs, un autre ancien ministre socialiste va plus loin. De toute évidence, il est en service commandé. On l'a chargé de préparer le terrain. Il laisse entendre que le conseiller suicidé de Mitterrand était malade :

« Il ne se remettait pas d'une récente opération. »

Ces propos me mettent en alerte. Je pressens déjà ce qui ne va pas manquer d'arriver. François Mitterrand n'est pas homme à montrer la moindre compassion, ni à admettre ses responsabilités. Il ne devrait pas tarder à se distinguer. Comme lors du suicide de son ancien Premier ministre, Pierre Bérégovoy, un an avant, le 1$^{er}$ mai 1993, quand il était allé vilipender juges et journalistes, à la porte du cimetière de Nevers, dans un discours vengeur qui avait troublé la paix des morts :

« Toutes les explications du monde, avait-il lancé, ne justifieront pas qu'on ait pu livrer aux chiens l'honneur d'un homme et, finalement, sa vie, au prix d'un double manquement de ses accusateurs aux lois fondamentales de notre République, celles qui protègent la dignité et la liberté de chacun d'entre nous. »

Accusation intolérable ! Elle devait être démontée. Tel fut l'objet de ma *Lettre ouverte* que François de Grossouvre m'a dit avoir tant appréciée, bien qu'il la trouvât « trop indulgente, au-dessous de la vérité ».

Cette fois, quel tour de passe-passe, quel numéro de défausse François Mitterrand imaginera-t-il ? Avec cet homme illustre, le pire est toujours certain.

Ce 8 avril, rien dans la presse du matin ! Pas de condoléances présidentielles. Ni le moindre hommage de François Mitterrand, d'habitude si empressé, si inspiré dans la célébration des morts. Présent à l'Élysée au moment du drame, l'ancien ministre de la Culture... et de l'Éducation, Jack Lang, est, pour la première fois de sa carrière, en panne d'émotion et d'oraison funèbre. Sa récente prestation à Athènes, aux obsèques nationales de la grande comédienne Melina Mercouri, aurait-elle tari sa source de larmes ? Rue de Solférino, le porte-parole du Parti socialiste est lui aussi aux abonnés absents. Seul un communiqué sibérien a été publié par l'Élysée, le jeudi 7 avril à 23 heures, six heures après le présumé « suicide ».

À l'ultime vengeance de son ami, à son irréparable acte de violence, François Mitterrand répond par le service minimum :

« François de Grossouvre, président du Comité des chasses présidentielles, s'est donné la mort, ce jeudi 7 avril, en fin de journée, dans son bureau. Conformément aux règles habituelles, le Parquet de Paris, qui s'est rendu sur les lieux, a prescrit à la Police judiciaire de diligenter l'enquête décès prévue par l'article 74 du *Code de procédure pénale.* »

L'après-midi du 8 avril, dans le journal *Le Monde,* notre confrère Edwy Plenel sait, lui, faire preuve d'humanité. Il utilise les mots justes pour expliquer le drame vécu ces dernières années par « François de Grossouvre, l'ami blessé ». Ses souvenirs me frappent. Sous la plume de Plenel, à quelques variantes près, je retrouve bien des propos que me tenait habituellement le vieux complice du président. Ainsi, parlant du chef de l'État, François de Grossouvre lui a aussi confié :

« L'argent et la mort, il n'y a plus que cela qui l'intéresse. »

J'ai eu droit à la même réflexion, pour la première fois en juin 1993, juste après la publication de ma *Lettre ouverte à François Mitterrand* :

« Je ne comprends pas, avais-je répliqué. Ces deux

obsessions sont contradictoires. Elles ne vont pas ensemble. Chez celui qui est obsédé par la mort, l'argent n'a plus d'importance. À moins que François Mitterrand soit de ces pharaons qui garnissaient d'or leurs tombeaux, pour assurer leur règne éternel.

— Oui, oui, avait approuvé l'ami du président. Il est devenu comme cela. Vous savez, mon petit, avant 1981, il ne roulait pas carrosse, il n'avait pas un sou en poche. Il laissait des ardoises partout. Aujourd'hui, il passe son temps à convoiter palais et châteaux. Je ne le reconnais plus. Il n'est plus celui que j'ai tant admiré. Il m'est devenu étranger. »

Au lendemain de la mort de François de Grossouvre, ce sont toutes ces conversations et réflexions qui me reviennent en mémoire. Elles contredisent formellement les témoignages malveillants que commencent à distiller, çà et là, les obligés du président. Manifestement, on tente, à tout prix, de protéger François Mitterrand des effets désastreux de ce suicide accusateur.

Bientôt le venin se répand. Dans *Libération* du 9 avril, l'éditorialiste Gérard Dupuy se fait l'écho des rumeurs du Château. Il écrit de François de Grossouvre, qu'il était atteint de « névrose terminale ». Qu'il était « un individu pour le moins bizarre (...), un incapable dangereux, indélicat, de plus, qui n'aurait jamais dû avoir de fonction officielle, même celle de garde-chasse présidentiel ».

Admirables certitudes. Elles sont exprimées, sans

aucune preuve, le lendemain d'un décès. Au mépris de toutes les convenances.

« Névrose terminale » ? Mais, quel médecin, au juste, l'atteste officiellement ?

« Incapable dangereux, indélicat, de plus... » ? Comment se fait-il que François Mitterrand ait cru bon de le garder à ses côtés ? À la présidence de la République française ?

Dans le rapport du juge Thierry Jean-Pierre sur « l'affaire Pelat », texte de référence publié par l'hebdomadaire *Le Point* le 8 janvier 1994, François de Grossouvre n'est nullement décrit dans le rôle d'un dingue ni d'un voyou. En revanche, ce qui y est dit sur François Mitterrand et sur feu Roger-Patrice Pelat, surnommé à l'Élysée « Monsieur le vice-président », suscite de cruelles réflexions.

Dans cette « Ordonnance de soit-communiqué pour faits nouveaux » en date du 17 décembre 1993, n'est-ce pas le chef de l'État en personne qui est visé par des « présomptions graves d'abus de biens sociaux », en raison de faux honoraires qui lui ont été réglés, ainsi qu'à son fils Gilbert, par Vibrachoc, la miraculeuse société de Pelat ? Au lieu de Grossouvre, n'est-ce pas François Mitterrand que *Libération* aurait dû désigner comme « un individu (...) qui n'aurait jamais dû avoir de fonction officielle » ? Car les délits en question ont commencé bien avant 1981. Et n'ont cessé ensuite de s'aggraver.

Le 8 avril, en première page, *Le Monde* donne la réaction du chef de l'État à propos du suicide de son ami. Du grand Mitterrand, toujours prévenant avec les morts :

« Le président de la République a confié les inquiétudes que lui avait inspirées, ces derniers jours, l'état psychique de son ancien homme de confiance. François de Grossouvre souffrait de son vieillissement physique et aurait fait part de son angoisse devant ce qu'il appelait ses " crises de démence ". »

Consciencieux, le journaliste du *Monde*, Patrick Jarreau, se réfère scrupuleusement aux déclarations qu'il a recueillies du côté de l'Élysée :

« Depuis quelques jours, lui a-t-on dit, le président s'inquiétait de l'état de santé de son ami ; il avait demandé à son médecin personnel de le voir le plus vite possible et d'envisager son hospitalisation au Val-de-Grâce. »

À Patrick Jarreau, les courtisans du Château, tous protégés par un courageux anonymat, ont aussi assuré :

« Le président a évoqué l'état d'anxiété extrême dans lequel était François de Grossouvre, qui craignait d'être atteint de sénilité. »

Curieusement, le chef de l'État fait silence sur la dégradation de ses rapports avec son vieux camarade. *Le Monde* le remarque :

« Les informations publiées sur les relations de M. Mitterrand avec François de Grossouvre et sur les propos que ce dernier tenait à son sujet n'ont pas suscité de réponse, ni d'explications de sa part, ni de celle de ses collaborateurs. »

Étrange discrétion !

Pour échapper aux questions gênantes, François Mitterrand a trouvé la parade. Pourquoi répondrait-il, *post mortem,* aux accusations d'un homme dont il a fait dire par son entourage qu'il n'était plus qu'un pauvre sénile ?

Le procédé est vieux comme le monde : qui veut noyer son chien l'accuse de la rage.

Dans sa relation à chaud des témoignages recueillis du côté de la présidence endeuillée de la République, le journaliste du *Monde* livre également d'inquiétantes observations. L'Élysée serait devenu un asile d'aliénés :

« L'entourage du chef de l'État, écrit-il, confirmait que François de Grossouvre souffrait, depuis plusieurs mois, de son vieillissement. L'un deux rapportait une scène datant d'une quinzaine de jours : le président des chasses présidentielles, croisant ce collaborateur dans un couloir, aurait apparemment eu une sorte d'hallucination et l'aurait mis en garde contre le fait qu'il était " suivi ". Il y a quelque temps, encore, il serait entré sans prévenir dans le bureau d'Hubert Védrine, secrétaire général de la présidence, sans se rendre compte de l'endroit où il se trouvait et se serait excusé en prenant conscience de sa méprise. Il lui serait arrivé d'exprimer lui-même à M. Mitterrand sa lassitude de ce qu'il appelait, paraît-il, des " crises de démence ", qui le privaient, à certains moments, de sa lucidité. Très préoccupé par son âge et par les effets physiques et psychiques qu'il en ressentait, François de Grossouvre, médecin de formation, se serait administré de son propre chef des médicaments " rajeunissants ", tout en se rendant régulièrement au Val-de-Grâce pour des examens. »

Confondantes révélations ! Ainsi découvre-t-on que l'Élysée n'est plus qu'une annexe de la maison des fous et de l'hôpital Sainte-Anne. Ainsi apprend-on, de la bouche même de ceux qui président aux destinées de l'État, qu'un « dément » avéré, équipé d'un 357 Magnum — l'arme de poing la plus redoutable —, est demeuré en fonction à l'Élysée et a pu tranquillement y côtoyer le président de la République, ainsi que tout son état-major. Ce malade mental a continué de jouir d'un double bureau, d'une limousine et d'un appartement de fonction... dans un corps de bâtiment, quai Branly, qu'il partageait seul avec le président de la République... et son autre famille. Le tout agrémenté d'une secrétaire particulière (la sympathique Mme Trevelin), d'un chauffeur et des gardes du corps du GSPR, le Groupe de sécurité de la présidence de la République. Lesquels n'ont rien remarqué d'anormal.

Même s'il ne fournit pas tous ces détails, le journaliste du *Monde* n'est pas dupe. Il nuance son article par d'autres informations, qui contredisent sérieusement la sordide histoire de fou racontée du côté de l'Élysée :

« Ces observations sur l'état de François de Grossouvre, souligne *Le Monde*, doivent être mises en regard du fait qu'il assurait de façon satisfaisante, semble-t-il, la présidence du Comité des chasses présidentielles. Cette fonction, pour honorifique qu'elle soit, suppose présence d'esprit, mémoire, disponibilité pour gérer les personnels, organiser les parties de chasse, établir les listes de personnalités invitées, etc., toutes tâches dont celui qui en avait la charge s'acquittait sans qu'aucune défaillance n'ait été relevée. »

Au passage, les collaborateurs de l'Élysée consentent tout de même à confirmer « les liens personnels qui existaient entre le président de la République et François de Grossouvre ». Ils admettent aussi que « leurs relations s'étaient apparemment distendues au cours des dernières années ». Mais, précisent-ils sans rire :

« L'ancien homme de confiance était moins souvent invité par M. Mitterrand à l'accompagner dans ses promenades à travers Paris ou chez les libraires... »

Bref, nous sommes à la cour du Roi-Soleil !

Pour sauver la face, s'accrocher à tout prix à son fauteuil, François Mitterrand n'hésite pas à salir la dépouille de son vieil ami. Avant même que le corbillard soit avancé. Et tant pis si, au passage, il ridiculise sa fonction, l'institution suprême de la République.

Les sommets de la campagne d'intoxication sont atteints le dimanche et le lundi.

À la dernière page du *Journal du Dimanche*, un titre : « À l'Élysée, on réfute la thèse de l'abandon. »

Cette fois, la présidence assure que François de Grossouvre était en proie à une grande déprime qui parfois l'amenait à dire et à faire n'importe quoi. Pour l'un, « il avait perdu la boule ». Pour un autre, « il était atteint de gâtisme ». L'ancien ministre socialiste René Souchon va très loin. À lui aussi, François de Grossouvre aurait confié :

« Je fais de la démence sénile. »

Comme on n'en est plus à une contradiction près, Souchon, vice-président des chasses présidentielles, se refuse à parler de « gâtisme ». Maire PS d'Aurillac, le bon camarade s'est cependant fendu d'un communiqué diffusé par l'Agence France Presse :

« François de Grossouvre s'est donné la mort parce qu'il ne supportait pas de vieillir et de donner de lui une image dégradée. Conscient qu'il était atteint d'une maladie de la vieillesse l'entraînant à des comportements anormaux, il a décidé d'en terminer. Il est vain de chercher d'autres causes à sa mort. »

L'odieux Souchon n'arrête pas là son délicat communiqué :

« Sept jours avant, François de Grossouvre m'est apparu fatigué et très curieux dans son comportement. Il s'est plaint de bourdonnements dans l'oreille qui le rendaient fou, de ses douleurs aux vertèbres cervicales, de ses pertes de mémoire, et il m'a dit : "*Je suis en train de faire une démence sénile.*" »

Le lundi, le relais de la calomnie est pris par *Globe*, sentencieux organe de la gauche tontomaniaque, dont le bailleur de fonds, le riche parfumeur et spéculateur boursier Pierre Bergé, a dit un jour :

« Le président aime beaucoup *Globe* et *Globe* aime beaucoup le président. »

Du directeur de *Globe*, l'obséquieux Georges-Marc Benamou, François de Grossouvre m'a raconté que ses commanditaires de l'Élysée lui avaient donné le surnom de « benne à boue ». Méchant et mauvais jeu de mots. Il veut traduire les infamies que ce militant, véritable courroie de transmission de l'Élysée, a pour mission de colporter dans l'opinion, par l'intermédiaire de ses cibles : les gauches saumon et caviar.

Le 13 avril 1994, le jour même de l'enterrement de François de Grossouvre — où François Mitterrand a eu le front d'arriver en retard et de se faire accompagner par Pierre Joxe, le pire ennemi du défunt, ce qui lui a valu d'être battu froid par la famille —, *Globe* crache sur sa tombe pas encore refermée. Sans retenue, un obscur journaliste y parachève la sale besogne. Sous le titre « La dernière nuit du chasseur », il prend trois pages pour dresser un portrait hallucinant de François de Grossouvre, « le conseiller que François Mitterrand n'écoutait plus ». Voici quelques extraits choisis de ce morceau d'anthologie où il n'est bien sûr pas fait mention — mais qui le sait ? — de l'impossibilité pour François Mitterrand de remettre les pieds dans le domaine de François de Grossouvre, à Lusigny, là où il avait (dans les communs) sa chambre... et ses habitudes :

« Son miroir s'était fracassé depuis longtemps déjà. Depuis 1982. Dès cette année-là, l'homme est

« débranché » des missions délicates, militaires et diplomatiques pour lesquelles il a un goût prononcé (...). Les moins hostiles à sa mémoire évoquent un personnage déjà un peu " farfelu ", entre tragique et rocambolesque. Pierre Joxe le couche sur sa liste noire et lui interdit l'entrée de la place Beauvau. C'est que François de Grossouvre allie désormais à la passion des " coups ", qu'il partage avec Charles Hernu et Gaston Defferre, une nette tendance à la pagaïe — des notes de la DGSE en sa possession sont retrouvées dans des bistrots autour de l'Élysée... »

C'est tout juste si *Globe* ne nous explique pas que, dès les premières années de son règne, François Mitterrand avait installé, à ses côtés, un illuminé, doublé d'un maniaque du petit blanc, un irresponsable égarant aux alentours, sur le zinc des comptoirs, les dossiers les plus confidentiels de nos services secrets. Procédé abject. Tous ceux qui ont connu et fréquenté François de Grossouvre savent qu'il était tout le contraire de ce portrait : un homme digne, ponctuel, sérieux et discret.

Au passage, Gaston Defferre et Charles Hernu, les anciens amis de Grossouvre et du reconnaissant président de la République François Mitterrand, en prennent pour leur grade. Au PS, tout fout le camp ! Pourquoi se gêner ? Morts eux aussi, Defferre et Hernu ne risquent pas de saisir les tribunaux. Et ce n'est pas Mitterrand qui pourrait avoir la mauvaise idée d'inviter les folliculaires de *Globe* à un minimum de retenue.

Vient maintenant une autre tirade sur les « fioles miracles » et les « potions magiques » de François de Grossouvre. Le Hercule Poirot de l'hebdomadaire élyséen y va à la louche. Il a découvert que l'éminence grise de Mitterrand les ingurgitait « afin de retrouver ses forces de prédateur » qu'il savait « condamnées ». Et revoici le refrain crépusculaire de la « démence » :

« Ceux qui le croisent alors à l'Élysée ont scrupule à rapporter ses bouts de phrases apocalyptiques, ses notes brouillonnes, ses sombres prophéties. Pour tout dire : ses délires de la persécution... »

Sans même utiliser le conditionnel, ni évidemment citer les noms de ses témoins, *Globe* narre des scènes présentées comme vécues sous les lambris de l'Élysée. C'est juré et craché : on y a vu François de Grossouvre sombrer dans d'authentiques délires paranoïaques.

Privilège exceptionnel, le journal officiel de « Tonton » a obtenu l'exclusivité d'un « ultime aveu » fait par Grossouvre à François Mitterrand. Rentrant de sa dernière traque, peu avant son suicide, « lui, le chasseur émérite, le tireur habile » se serait lamenté devant le président :

« Aujourd'hui, j'ai tout raté. »

Autrement dit, le compagnon de route de François Mitterrand aurait été diminué dans sa seule vraie passion : la chasse. Une bonne raison pour mettre fin à ses jours. Telle est du moins, sous-entendue par *Globe*, la conviction du chef de l'État qui commence à s'y connaître en matière de suicides et de morts subites...

Bref, à trop vouloir prouver, on ne convainc personne.

Ceux qui ont participé aux dernières chasses conduites par François de Grossouvre sont unanimes : il n'avait pas changé, ni rien perdu de son adresse.

Le 10 janvier 1994, il préside une battue administrative au château de Chambord, l'une des trois chasses présidentielles. Sur ce splendide territoire de cinq mille hectares, entièrement clos, la traque est confiée à une trentaine de rabatteurs : des gens du cru assistés par les élèves de l'École des gardes de l'ONF, l'Office national des forêts. Comme à l'accoutumée, le président du Comité des chasses présidentielles a l'œil à tout. Il est en milieu de ligne et participe lui-même au tir, avec la trentaine d'invités. Parmi eux, le président du Sénat René Monory, qui le trouve « très en forme et très détendu », ce dont il rend compte dans *Le Figaro* du 9 avril. Ancienne de l'Élysée, la journaliste et productrice de télévision Laure Adler est là, en observatrice. Tableau final : une cinquantaine (!) de sangliers, dont trois convenablement abattus, au défaut de l'épaule, par l'homme dont on nous dit maintenant qu'il s'était mis à tout rater.

Directeur de la revue *Enquête sur l'histoire* et grand spécialiste de la chasse, Dominique Venner le voit « carabine en main, alerte et vigoureux ». Dans *Le Figaro*, il écrit que François de Grossouvre « dirigeait

tout son monde avec son aisance habituelle. Au cours
de ces derniers mois, ajoute-t-il, je ne l'ai jamais vu
hanté par l'âge et encore moins diminué mentale-
ment, comme voudrait le faire croire une sordide
rumeur destinée à maquiller la vraie raison de sa
mort ».

L'automne et l'hiver derniers, à Rambouillet et à
Marly — les deux autres chasses présidentielles —
Grossouvre a supervisé la douzaine de journées
réservées au petit gibier. Avec chaque fois de royaux
lâchers de quelque cinq mille faisans. Il était toujours
détendu, parfaitement maître de ses moyens physiques et intellectuels. Et puis, en février, fin de la
saison de chasse. François de Grossouvre remise ses
fusils. Les tirs sont terminés. Il lui reste deux mois à
vivre.

Le 7 avril 1994, vers 17-18 heures, François de
Grossouvre téléphone à Yvan Thierry, artisan gra-
veur, à Orgeval, dans la banlieue ouest de Paris, à qui
il a confié une paire de brownings. Il s'informe sur
l'avancée de ses travaux et lui donne des instructions.
Ainsi, deux heures environ avant de mourir, François
de Grossouvre pense encore à la chasse et se comporte comme un homme parfaitement normal.

Troublant aussi, le témoignage de Robert Mélinette, le célèbre armurier de la rue de Longchamp,
dans le XVI$^e$ arrondissement, attaché à la personne
de François de Grossouvre depuis vingt-cinq ans. Il
n'est pas de semaine sans que le président des chasses
présidentielles le consulte pour l'achat ou l'entretien

de ses fusils et carabines. François de Grossouvre en possède cent quatre-vingt-dix, dont des pièces d'exception et de grand prix telle une splendide paire de Purdey anglais, cadeau d'un souverain ami, et des armes fabriquées à Ferlach, le Saint-Étienne autrichien.

En 1984, dans l'espoir de sauver Manufrance, François de Grossouvre a fait nommer son armurier au poste de conseiller technique de la grande manufacture stéphanoise. Expérience sans suite, malgré 70 millions de francs de subvention dépensés en pure perte par les pouvoirs publics : la CGT est passée par là, avec 6 000 fusils volés dont 4 000 retrouvés dans une ferme quatre ans après. Et Bernard Tapie, fugace P-DG de Manufrance s'est, comme à son habitude, bien gardé de tenir ses promesses. Elles n'engagent jamais que ceux qui les reçoivent.

Quai Branly, Robert Mélinette a porte ouverte. Il s'y rend au moins une fois par semaine, même en l'absence de François de Grossouvre, qui donne l'ordre de le laisser entrer. Il arrive que l'armurier croise François Mitterrand — rasant les murs — dans l'escalier. C'est avec Robert Mélinette que François de Grossouvre a rendez-vous à l'Élysée, le 22 mars en fin de matinée, juste après m'avoir reçu, pour la dernière fois, quai Branly. Ce jour-là, l'armurier le voit pour le vieux contentieux relatif à Manufrance. François de Grossouvre ne peut rien faire. Il l'oriente vers Pierre Chassigneux, le directeur de cabinet du président, avec lequel rendez-vous est pris.

Un mois avant, le 13 février 1994, François de Grossouvre a commandé à Gun's Leader, l'armurerie de Mélinette, un fusil juxtaposé Arietta, marque espagnole de renom. Pour subir un moindre recul et épargner ses oreilles, il a choisi un calibre 410. Comme d'habitude, il a insisté pour obtenir un bon prix : 30 000 francs.

Quatre jours plus tard, le 17 février, nouvelle demande. Un devis est établi pour plusieurs autres paires, de calibre 12.

Enfin, le 29 mars 1994, huit jours avant la mort de son client, Mélinette se rend pour la dernière fois quai Branly. François de Grossouvre souhaite un relevé des factures de ses fusils. Il veut aussi savoir où en est sa dernière commande. Au moment de le quitter, il embrasse l'armurier, ce que jamais auparavant il n'a fait. Robert Mélinette est étonné. En rentrant, il dit à sa femme :

« J'ai eu l'impression qu'il voulait me dire adieu. »

Les prétendus « fioles » et « produits miracles » que, selon *Globe*, le vieux monsieur ingurgite pour se redonner de l'énergie ? Grossouvre n'en fait pas mystère. Il s'agit simplement d'inoffensifs extraits de ginseng, « la plante millénaire du tonus ». Elle est cultivée en Chine et en Corée. Sa racine, appelée « fleur de vie », est vendue sans prescription ni aucune contre-indication médicale dans les pharmacies. Ses effets sont, paraît-il, bénéfiques pour le métabolisme : elle abaisse le taux de cholestérol et elle est recommandée en cas de fatigue, de surmenage et de convalescence. Elle permet une amélioration des performances physiques et intellectuelles, quel que soit l'âge du sujet. C'est un fortifiant léger, que François de Grossouvre m'avait conseillé de prendre, en octobre 1993, après une opération chirurgicale que je venais de subir. Il lui arrivait aussi d'en fournir au président, quand celui-ci en manquait. Amateur éclairé de produits phytothérapiques, François Mitterrand avait toutefois avoué à son vieux compagnon qu'il préférait aux propriétés du ginseng celles de l'huile de bourrache[1], une grande fleur bleue originaire du Levant, excellente contre le vieillissement de la peau et les rides. Il lui avait tout particulièrement conseillé les gélules des laboratoires Arkopharma.

À soixante-seize ans, très soucieux de sa forme, François de Grossouvre continuait à pratiquer la culture physique, afin de préserver sa sveltesse. Dans sa chambre à coucher du quai Branly — où il me cache un jour à la vue d'un visiteur —, je remarque au pied du lit, sur la moquette, deux petits haltères. J'en badine avec lui. Il m'explique qu'il aime l'exercice, qu'il continue de ressentir parfois les conséquences d'anciennes chutes de cheval. Seule vraie alerte de santé : il a subi, en 1993, une opération habituelle chez un monsieur de son âge et pour un mal bénin. Il en a quelque peu souffert à cause des effets secondaires d'une anesthésie sous péridurale. Son rétablissement a été prompt.

---

1. *Bourrache :* « Plante annuelle, très velue, à grandes fleurs bleues, fréquente sur les décombres, employée en tisane, comme diurétique et sudorifique. » (*Petit Larousse.*)

Médecin personnel de François de Grossouvre depuis leurs communes études de médecine à Lyon dans les années quarante, le docteur Claude Loisy de Vichy est indigné par les bobards sur la « sénilité » et la mauvaise santé de son patient. Il juge indispensable d'écrire au journal *Le Monde* pour rétablir la vérité.

Au téléphone, avec l'accord de la famille Grossouvre, le docteur Loisy me redit et complète sa mise au point :

« J'ai examiné François de Grossouvre une dizaine de jours avant sa mort. J'atteste que sur un plan purement médical il était en parfaite santé. Comme beaucoup de médecins n'exerçant pas, il se souciait beaucoup de sa santé et me consultait très souvent. À part des maux bénins, comme ces bourdonnements d'oreilles qui affectent tous les tireurs, je n'ai jamais rien trouvé. Je le répète, il jouissait jusqu'au jour de sa disparition tragique de toute sa lucidité et de l'intégrité de ses facultés intellectuelles. J'affirme que son équilibre psychique n'était en rien diminué. »

Pierre Mathieu, un autre de ses amis de l'Allier, le connaissait depuis 1950. Ils chassaient et partageaient ensemble la passion du cheval :

« Tous les dimanches, François continuait à monter. A soixante-seize ans, il restait un excellent cavalier. Le week-end avant sa mort, nous nous sommes vus. Il était en pleine forme et nous devions nous revoir le dimanche suivant ; il était à la recherche d'un palefrenier pour l'entretien de ses trois chevaux. »

Tous ces témoignages l'attestent... et il n'est nullement nécessaire de continuer la démonstration :
François n'est, avant de mourir à l'Élysée, ni dément
ni sénile ni malade.

Revenons à *Globe* et à ses mensonges téléphonés.
Dans le but de décrédibiliser, préventivement, les
« grandes et menues confidences » faites par François
de Grossouvre à nombre de ses amis et « visiteurs de
tout poil », ce relais élyséen nous dépeint un personnage défait, rongé par la vie et la maladie. Ainsi, la
dégradation de ses facultés mentales l'aurait conduit
à passer à l'ennemi, c'est-à-dire à trahir. Scénario
fantastique, superproduction mitterrandienne, que
même le cinéaste socialiste Serge Moati, l'infatigable
thuriféraire du président, n'aurait osé signer. Je m'y
retrouve propulsé, bien malgré moi, en tête d'affiche.
*Globe* suggère que François de Grossouvre aurait
pactisé avec le diable en personne :
   « On le sait en cheville pour de nébuleuses
*Mémoires* avec un Jean Montaldo, ex-flic [*sic*]
d'extrême-droite [*resic*] converti dans l'édition chez
Albin Michel, d'où, avec Thierry Pfister, se déclen-
chent les contre-batteries de l'antimitterrandisme. »
   Mensonge et calomnie ! Les vieux procédés stali-
niens, si bien décrits, en 1977, par le philosophe Jean-
François Revel dans son livre *La Nouvelle Censure*, le
grand classique sur les techniques de la pensée
totalitaire et de la désinformation, ont toujours cours.
   Citant le François Mitterrand du *Coup d'État
permanent*, son fameux pamphlet de 1964, je pourrais

dire aussi, à propos de cette dernière insulte, que
« l'un des procédés favoris des régimes policiers,
lorsqu'ils entreprennent de disqualifier leurs adversaires, consiste à leur prêter de communes intrigues et
à laisser entendre que leur haine du régime, plus forte
que leurs propres querelles, les porte à nouer entre
eux de secrètes ententes ».

Bref, découverte par Mitterrand au temps du
général de Gaulle qu'il exécrait, la théorie du complot
est de retour. Le scribe de service veut faire croire à
une conspiration. Elle aurait été ourdie par l'ami
devenu fou du président, associé — le vilain coquin !
— à un ancien « flic », d'extrême droite de surcroît,
lui-même en cheville avec un déçu de la gauche
mitterrandiste : le journaliste et écrivain Thierry
Pfister, aujourd'hui directeur de collection aux éditions Albin Michel, où j'occupe les mêmes fonctions.

C'est bien François Mitterrand qui, à l'appui de la
pertinente analyse que je viens de citer, écrit encore
dans *Le Coup d'État permanent* — le livre le plus
insultant qui ait été publié sur de Gaulle : « Le parti
nazi, d'insinuation en provocation, était passé maître
dans cette technique qu'on appelle l'amalgame. »

Georges-Marc Benamou, le directeur de *Globe*, ne
peut prétendre ne pas me connaître. Il m'a croisé,
jusqu'en 1984, dans les couloirs et les colonnes du
*Quotidien de Paris* de Philippe Tesson, haut lieu de
l'opposition à François Mitterrand. Depuis, le cor-
beau s'est trouvé un autre fromage. Il n'en sait pas
moins parfaitement, que, journaliste et écrivain, je

n'ai jamais porté le képi, ni appartenu à une quelconque organisation d'extrême droite. S'il n'est pas illettré, s'il a lu mes nombreux livres — dont on ne peut dire qu'ils ont été confidentiels —, il n'ignore pas non plus que je n'ai jamais cessé de manifester mon attachement aux institutions démocratiques et républicaines. Tout le monde, même à la tête de l'État, ne peut en dire autant :

• Je n'ai pas été, comme François Mitterrand de mai 1942 à la fin 1943, un « résistant » en mission à Vichy, un fonctionnaire du maréchal Pétain, c'est-à-dire du gouvernement de la collaboration avec les nazis !

• Je n'ai pas, comme Monsieur l'actuel président de la République, prêté serment au maréchal, le 16 août 1943, lors de la remise, « pour services rendus », de la médaille des meilleurs maréchalistes, je veux parler de la Francisque n° 2 202 (sur 3 000 distribuées au total), décoration que François Mitterrand a sollicitée et obtenue, avec le haut parrainage des grands pétainistes Simon Arbellot, directeur de la presse au service de l'Information à Vichy, et Gabriel Jeantet, ancien dirigeant de la Cagoule, la ténébreuse organisation d'extrême droite de l'avant-guerre, où François Mitterrand a noué ses premières amitiés !

• Je n'ai pas, comme lui, accepté de faire cette déclaration solennelle, pour pouvoir être décoré de la Francisque : « Je fais don de ma personne au maréchal Pétain, comme il a fait don de la sienne à la France. Je m'engage à servir ses disciplines et à rester fidèle à sa personne et à son œuvre » !

Enfin, pour clore cette utile parenthèse que les

commanditaires de *Globe* m'ont contraint d'ouvrir, j'ajoute que je n'ai pas, comme François Mitterrand, commencé mon honorable carrière de journaliste en apportant une active collaboration à *France*, la « Revue de l'État Nouveau » (n° 5 de décembre 1942) du même Gabriel Jeantet. Puisque tout le monde l'oublie, je dois rappeler ici que l'actuel président de la République a vu son tout premier article de presse annoncé à la une de ce périodique doctrinal de l'État français, au chapitre des « Variétés »... En bonne place, son nom y figure à côté de celui du maréchal Philippe Pétain, lui-même signataire, en rubrique politique, d'un impérissable article : « Ordre du jour adressé aux armées de terre, de mer et de l'air. » Le « papier » de François Mitterrand est intitulé « Pèlerinage en Thuringe », région orientale de l'Allemagne... à l'opposé de Londres ! Il paraît au-dessus d'une étude à forts relents antisémites sur « La Condition des juifs à Rome sous la papauté », et au-dessous d'un autre mot doux intitulé : « Le Maréchal nous a dit » !

Je signale également aux admirateurs inconditionnels de Monsieur le président de la République — dont je ne fais pas partie —, qu'au contraire de lui, je n'ai pas fait régulièrement fleurir la tombe du maréchal Pétain à l'île d'Yeu !

Je n'ai pas davantage été l'ami et le protecteur d'un quelconque collaborateur. Je n'ai pas compté parmi mes relations, comme François Mitterrand, le criminel de guerre René Bousquet, inculpé de crime contre l'humanité... et assassiné en 1993, à Paris, où il vivait en totale liberté !

Contrairement à ce que prétend *Globe*, j'ai toujours combattu les extrêmes. De droite, comme de gauche. Qu'il s'agisse des assassins, en 1993, de mon ami Jacques Roseau ou des profanateurs, en 1994, de la mémoire de mon autre ami François de Grossouvre...

Il n'est pas dans mes habitudes de mettre en cause des confrères, journalistes, écrivains ou éditeurs. Mais je ne supporte pas de me faire administrer des leçons de morale par un Georges-Marc Benamou. Non que j'éprouve une quelconque hostilité à l'encontre des opinions politiques versatiles de cet histrion gouvernemental.

Cette fois pourtant, la mesure est comble. L'imprudent provocateur à la botte du président n'est pas, loin s'en faut, une oie blanche. Aussi aurait-il mieux fait d'éviter de tremper sa plume dans l'encre du mensonge.

« Baba-cool » adulé par les pépés et les starlettes du socialisme finissant, le directeur de *Globe* est l'un des rouages de la corruption mitterrandienne. Je tiens des « docteurs honoris causa » du racket politique, conçu par François Mitterrand et ses affidés, des documents qui en disent long sur les mœurs de *Globe* et de Georges-Marc Benamou, son fondateur.

L'idolâtre stipendié de Mitterrand est né le 30 mars 1957 à Saïda, en Algérie, et domicilié dans le XVIᵉ Grand Nord de Paris, le quartier de la bourgeoisie huppée. À la tête de la SARL Modernes Associés (3, rue des Pyramides, à Paris, dans le Iᵉʳ arrondissement), il est le gérant d'une société dont l'objet social est plus limité que ses prétentions financières : « L'édition et la diffusion de journaux divers et toutes formes de productions audiovisuelles. » Les 11 janvier et 23 décembre 1988, puis le 8 février 1989, sa société adresse à *trois* entreprises de racket du PS, appartenant à la galaxie Urba, *trois* fausses factures.

Tel est le prix de l'allégeance de *Globe* à la cause mitterrandiste. Ces pièces — dont je fournis les fac-similés en annexe [1] —, révèlent la nature exacte des liens affectueux du chef de l'État et du directeur de *Globe*, son porte-voix.

À ces dates, G.-M. Benamou établit, sur papier à en-tête de *Globe*, plusieurs « factures » aussi fausses que les vertueuses leçons de morale propagées par son organe en quadrichromie. Elles relèvent des articles du *Code pénal* réprimant les abus de biens sociaux et leurs recels, les faux en écriture de commerce, la corruption, etc.

Datée du 11 janvier 1988, la première de ces fausses factures porte, en marge, le paraphe « GMB » : les initiales de Georges-Marc Benamou. Elle est adressée à « Multi-Services, 8, rue de Liège, 75009 Paris ».

Cette société porte bien son nom !

Entre 1987 et 1988, c'est une éphémère structure créée tout spécialement dans les locaux de la société de télévision Citécâbles, d'Alain Coquard, un ancien

---

1. Pages 277 à 280.

du cabinet de Louis Mexandeau, ministre socialiste des PTT. La société-écran, qui finance *Globe*, sert à recycler les 25 millions de francs extorqués aux entreprises par Urba pour financer la campagne présidentielle de François Mitterrand. Et payer ses « frais hétéroclites », dont les activités du « journaliste » Georges-Marc Benamou.

Mise en place sur les conseils et grâce à l'imagination foisonnante de David Azoulay, le commissaire aux comptes d'Urba, Multi-Services est le rouage essentiel d'un dispositif financier que le trésorier de la campagne de François Mitterrand, le futur ministre de la Justice Henri Nallet, affirme obstinément ne pas connaître. Pourtant, le 30 juin 1988, le même David Azoulay certifie exacts au Conseil constitutionnel, en sa qualité d'expert-comptable (!), les comptes — qu'il sait faux — du candidat Mitterrand, réélu le 8 mai. Beau monde !

Multi-Services a pour gérant Jean-Pierre Barth, le directeur technique d'Urba-Gracco. À sa demande, j'ai remis à la justice les pièces qui permettent d'appréhender son rôle. Barth est au premier rang des quarante et quelques voleurs dévoués à la cause de François Mitterrand... Accessoirement, il s'affiche, comme expert assermenté (!) auprès de la cour d'appel de Paris, ce qui lui permet, à l'occasion, d'utiliser son cachet officiel sur ses correspondances au nom d'Urba. Collecteur de fonds vigilant, Jean-Pierre Barth est omniprésent dans les comptes rendus de Joseph

Delcroix, le greffier de la corruption socialiste. C'est l'une des pièces maîtresses de cette organisation tentaculaire.

Le 11 janvier 1988, quatre mois avant la réélection de François Mitterrand, Georges-Marc Benamou et *Globe* se font donc arroser par Barth et Multi-Services pour appuyer le président candidat. Avec une fausse facture et de l'argent corrompu, la pompe à finances socialiste est là pour les désaltérer. Il est prévu de les payer, en plusieurs tranches, pour un montant total de 896 616 francs TTC. L'objet du règlement est tout un programme : « Pagination globale 24 pages quadri... jusqu'au 8 janvier 1989. »

Benamou est payé d'avance. Via la BCCM (Banque centrale des coopératives et des mutuelles), l'établissement mutualiste, aujourd'hui devenu GMF Banque, où le PS et Multi-Services font habituellement leur cuisine financière. C'est aussi à la BCCM, en 1988, que le candidat Mitterrand domicilie le compte bancaire (n° ZZ 02 2310.08 014.8) de son association de soutien « Avec François Mitterrand, 1, rue Paul-Baudry, 75008 Paris ». J'ai retrouvé un chèque dans un dossier de François de Grossouvre.

La « facturette » de complaisance émise par *Globe* le 11 janvier 1988 est enregistrée le 19 mai : onze jours après la réélection de François Mitterrand. Mais Georges-Marc Benamou a été depuis longtemps réglé, en trois versements de 298 872 francs chacun. L'un à coups de Carte Bleue (n° 6 45 0635), les deux autres avec des traites tirées sur la BCCM.

Toujours payée par traite à la BCCM, le 30 janvier

1989, la seconde facture émise par *Globe* est datée du 23 décembre 1988. Sous le n° 420, il s'agit d'un faux encore plus grossier. Il est adressé au « GIE GSR, 140, boulevard Haussmann, 75008 Paris ». Tous les chefs d'entreprise rackettés par le PS — Dieu sait s'ils sont nombreux —, connaissent par cœur ce sigle et cette adresse : GIE, comme Groupement d'intérêt économique, et GSR signifiant Groupement des sociétés regroupées... C'est l'organisme de tête qui rassemble toutes les sociétés de la pieuvre Urba.

Auprès du GSR, c'est-à-dire des racketteurs du PS, Georges-Marc Benamou demande et obtient un « forfait » de 462 540 francs — TVA incluse s'il vous plaît —, pour un travail en parfait rapport avec son activité de patron de presse : « Étude, conseil, stylisme [*sic*], organisation, mise en place et démarrage de campagne de publicité, séminaires et déplacements. »

L'intitulé fleure bon la fausse facture. Là encore, la note que Georges-Marc Benamou présente à ses commanditaires n'est que poudre aux yeux. Sur toute la ligne !

La troisième fausse facture de *Globe* (n° 477) est, elle, carrément stupéfiante. Benamou la rédige le 8 février 1989, à l'intention du célèbre Gracco. Il est à Urba ce que la mer est à Trenet. Le protégé de Pierre Bergé réclame maintenant 188 514 francs. Le motif correspond enfin à la vraie raison d'être de *Globe* : « Campagne de relations presse et relations publiques ; organisation d'une conférence ; organisation d'interviews et de rencontres avec la presse ; création et envoi de communiqués de presse ; préparation de dossiers de presse ; prises de vue et tirages de photos en noir et blanc et en couleurs ; conception et réalisation d'une invitation pour la conférence de presse ; réalisation de panneaux pour conférence. »

Le tout pour « règlement par traite à réception au 15 mars 1989 ».

Celui qui m'insulte, pour tenter de disqualifier Grossouvre mort, a vécu, ces dernières années, en émettant des fausses factures. Habillé de lin blanc, ce porte-plume de François Mitterrand (son modèle) et de Pierre Bergé (son principal actionnaire, par ailleurs mis en examen, le 30 mai 1994, pour un « délit d'initié »)... commis par l'entremise de banques suisses), s'est fait financer, en encaissant, sans vergogne — comme le président de la République —, le produit de trafics d'influence, de faux en écriture et usages, escroqueries, extorsions de fonds, détournements de fonds publics... et plus généralement de la corruption.

Pour Benamou, l'hiver n'est jamais froid.

Uniques, toutes ses fausses factures sont aujourd'hui des pièces de collection. Je me propose de les faire parvenir, par porteur, à Monsieur le président de la République, avec un exemplaire dédicacé du présent ouvrage. Pour l'édification de la jeunesse et des générations futures, je le prie de bien vouloir transmettre le tout à la bibliothèque de Nevers. Là où, à sa demande, sont conservés les livres rares qu'il a reçus depuis sa première élection à la présidence de la République.

La cause est entendue : *Globe* est, à ces dates, un journal frauduleusement financé par le PS pour servir les intérêts de François Mitterrand.

En 1993, quand la feuille de Benamou devient hebdomadaire, on fait appel, entre autres, à Clinvest, la filiale « d'affaires » du Crédit Lyonnais, la banque des plus grands scandales socialistes : Parretti, Maxwell, Tapie, et j'en passe.

Aujourd'hui les liens ne sont pas rompus. Benamou est même admis dans le « premier cercle » du président.

Après le sale coup, porté par *Globe*, à la mémoire de François de Grossouvre, le 11 avril 1994, le président de la République déjeune par deux fois avec Pierre Bergé et Georges-Marc Benamou. Ces agapes ont lieu les samedi 23 et 30 avril, chez « Lulu », rue du Château dans le XIV^e arrondissement, au restaurant « L'Assiette »... de la gauche caviar.

Les torrents de boue déversés par *Globe* ne sont pas fortuits. Il faut gommer dans les mémoires le geste accusateur de François de Grossouvre. Tout faire pour que l'homme qui en savait trop et qui s'en est allé n'entre pas dans l'histoire. Tout entreprendre pour le déconsidérer, en le présentant comme un simple accident de parcours dans la carrière exemplaire, romanesque, de François Mitterrand. Tout mettre en œuvre, afin de discréditer les révélations qu'il fit, dévaloriser ses propres Mémoires et archives qu'avant de mourir il avait obstinément refusé de mettre à l'abri des regards... dans un coffre, à l'Élysée.

François de Grossouvre nous avait prévenus :

« Attention, ils chercheront à me salir. »

Aussi, n'en déplaise aux volontés du chef de l'État, à ce second enterrement, nous n'assisterons pas.

Roland Dumas est en mission délicate, le 11 avril 1994, quand il affirme, en même temps que *Globe*, qu'il a « assisté à une lente détérioration de l'état psychique » de François de Grossouvre, lequel « n'avait plus de responsabilités directes à l'Élysée ». Dumas est — rien de plus normal — l'avocat de *Globe*. Pour lui, « seules se maintenaient [*avec Mitterrand*] les relations à titre personnel ».

Dumas éjecte d'une pichenette tout ce qui s'est passé depuis le 12 juin 1985, le jour du faux départ, annoncé au *Journal officiel*, de François de Grossouvre.

Dans la foulée, l'ancien locataire du Quai d'Orsay oublie d'évoquer les pressions vaines qu'avec Charasse et Joxe il exerce alors sur François Mitterrand pour que soit définitivement écarté de l'Élysée celui qui leur fait de l'ombre. C'est en tout cas ce qui ressort des confidences que nous fait Grossouvre, ainsi que de ses dossiers dont il veut, à plusieurs reprises, me faire l'un des dépositaires. À leur sujet, Roland Dumas a une étrange certitude... qui semble le rassurer :

« Je ne pense pas qu'il ait constitué des archives, c'est-à-dire des dossiers structurés. »

Méli-mélo et « reality show ». À l'Élysée, on ne sait plus à quel saint se vouer. Enfermé dans l'orgueil qui aveugle, François Mitterrand fait tonner tous les canons du palais.

Vingt jours après le suicide de Grossouvre, la télévision d'État lui prête ses antennes pour qu'il puisse se justifier à propos du précédent suicide qui l'accuse, celui de Pierre Bérégovoy, un an auparavant. Les mêmes causes produisent les mêmes effets. Aussi, le 27 avril 1994, François Mitterrand fait appel aux compétences d'un autre de ses spécialistes : le militant du Parti socialiste Serge Moati, réalisateur d'un film de pure propagande sur la vie et la mort de Pierre Bérégovoy.

Payé par l'Élysée et diffusé par *France 2*, ce chef-d'œuvre de désinformation a été voulu et commandé, par le président, au terme d'une chaude soirée à l'Élysée, le 10 mai 1993. Il nous est présenté sur une chaîne d'État, au moment même où s'ouvre, devant la cour d'appel de Paris, le second procès Pechiney dont François Mitterrand aurait dû être la grande vedette, si les cartes judiciaires n'avaient été biseautées... J'y reviendrai.

La réalité, je l'explique dans *Le Quotidien* du même jour : avec ce film, Serge Moati porte un sérieux préjudice à la mémoire du disparu. C'est une mauvaise action. Trop de propagande tue la propagande. Je retrouve là les méthodes chères aux cinéastes du régime soviétique : l'histoire est aménagée, les témoins triés sur le volet. Que je sache, la télévision publique est celle de tous les Français ; elle doit être neutre et respecter les règles élémentaires de la déontologie journalistique. Or François Mitterrand s'est fait réélire, en 1988, en promettant de restaurer les valeurs d'un État impartial. Et voilà que le chef d'État — peut-être parce qu'il n'a plus rien d'autre à faire — devient producteur de télévision, ce qui ne pourrait exister dans une démocratie anglo-saxonne.

En 1981, François Mitterrand est suivi par Moati au Panthéon, quand il va se recueillir sur la tombe de Jaurès, le père du socialisme. En 1993-1994, il demande aux mêmes caméras de Serge Moati, payées sur les fonds de la présidence de la République (et non sur sa cassette personnelle, ce qui aurait été la moindre des choses), de réécrire l'histoire à son avantage. C'est tout ce qui restera du film diffusé ce soir-là sur *France 2* : un modèle de désinformation.

De cette « hagiographie aussi inutile que néfaste pour la mémoire de celui qu'il s'agit d'honorer », le journaliste du *Monde* Thierry Bréhier, écrit aussi :
« Le plus grave est que l'erreur a été volontaire. »

Critiquable, le film de Moati l'est à bien des égards. Rappelons deux faits : le 1er mai 1993, date symbolique s'il en est, a été choisi par Pierre Bérégovoy pour se suicider, de la même manière que mon ami François de Grossouvre vient de choisir son bureau de l'Élysée pour commettre le même acte. Dans l'un et l'autre cas, François Mitterrand — sans le dire évidemment — identifie ces gestes comme des actes d'hostilité à son égard. Mais, comme il ne peut avouer ses propres péchés, sa nature profonde le pousse à imputer à d'autres — les juges, les journalistes et je ne sais plus quel " chien " encore — ses responsabilités. Avec ce film, nous avons la réponse de François Mitterrand à Pierre Bérégovoy, par Moati interposé. Jean-Pierre Elkabbach — qui fut en 1994, à la présidence de *France-Télévision,* le candidat de Mitterrand —, a accepté de le diffuser. Nous voilà revenus trente ans en arrière, à l'époque de l'ORTF.

N'ont été admis dans ce film que ceux qui relaient le discours de l'Élysée. C'est le cas, en particulier, de l'ineffable Michel Charasse. Sans l'avouer, il parle au nom du président et livre une version des faits contre laquelle je m'inscris en faux. En outre — et cela est plus grave encore — je sais que des témoignages ont été coupés... à l'Élysée même. Bref, ce film a été soumis à l'accord, à la censure préalable du chef de l'État.

Les passages supprimés ? Il s'agit, entre autres, du témoignage de Paul Benmussa, le chaleureux patron du restaurant « Chez Edgard », rue Marbeuf, et véritable ami de Bérégovoy. Tout le monde sait qu'il a vu l'ancien Premier ministre très déprimé, peu avant sa mort, et qu'il a prévenu Maurice Benassayag, conseiller du président chargé des relations politiques. Lui non plus n'apparaît pas dans le film.

Ces coupes ne sont pas innocentes. De nombreux collaborateurs de *France 2* m'ont aussi dit être ulcérés par ces méthodes qui déshonorent le service public. Car, sauf l'émotion de Mme Bérégovoy — très touchante, mais comment pourrait-il en être autrement ? —, ce film est un honteux numéro de « Mitterrandolâtrie », renforcé par l'utilisation systématique de la musique sacrée. Sans la participation du chef de l'État, qui laisse au petit personnel la charge de répercuter son message. Dans *Le Monde*[1], Thierry Bréhier fustige comme il se doit la fabrication et la diffusion de ce long métrage partial, déloyal :

« Sous prétexte de réhabiliter un homme qui n'en a nul besoin, ce film n'est que la " vengeance " de ceux qui n'acceptent pas que les porte-parole des citoyens puissent demander des comptes à ceux qui gouvernent. Pierre Bérégovoy, militant dévoué, homme de gauche sincère, ministre compétent, chef de gouvernement courageux, méritait mieux. Ceux qui se prétendent ses amis lui ont " volé " son anniversaire. »

Le 10 mai 1994, trente-trois jours après le suicide de François de Grossouvre dans son bureau à l'Élysée, François Mitterrand remise son costume noir. Devant les caméras de la télévision, le président de la République célèbre le treizième anniversaire de son accession au pouvoir. C'est l'occasion d'esquisser le bilan de son action à la tête de l'État. Interrogé par Patrick Poivre d'Arvor (*TF1*) et Paul Amar (*France 2*), François Mitterrand s'emberlificote dans une narration dont on omet de remarquer qu'elle ne lui fait pas honneur. Extravagante démocratie où l'on peut entendre, sans que nul ne sourcille, le premier des citoyens se contredire... et reconnaître de singuliers dysfonctionnements au sommet de l'État.

1. 24-25 avril 1994.

François de Grossouvre ? Pas gêné, Mitterrand s'exprime comme un châtelain :

« Il a quitté l'Élysée et mon cabinet, il y a huit ou neuf ans, en 1985-1986, pour entrer chez Dassault. Je l'ai gardé [*sic*] comme responsable des chasses présidentielles, fonction qu'il menait admirablement. C'était un grand connaisseur, il menait cela de façon remarquable. »

Je note au passage l'imprécision — inhabituelle — sur les dates.

Avant un rendez-vous de cette importance avec des millions de téléspectateurs, les services de la présidence ont évidemment rafraîchi la mémoire du vieux monsieur. Cependant, celui-ci ne peut faire autrement que de rester dans le vague.

« Huit ou neuf ans » ; « 1985-1986 » ; « Dassault » (!) ; les « chasses présidentielles »... Tout cela est jeté en vrac, comme si de rien n'était. Or — je ne me suis pas privé d'en faire la remarque à François de Grossouvre —, sa présence aux côtés du chef de l'État, à partir du 12 juin 1985, date de son prétendu départ de l'Élysée, est en totale contravention avec les bons usages républicains. C'est à ce moment précis que Grossouvre devient « conseiller international des Avions Marcel Dassault » qui le rémunèrent. Fonction incompatible avec celle qu'il continue de remplir à la présidence de la République.

Aujourd'hui, François Mitterrand feint de considérer cette situation comme parfaitement normale, alors qu'elle contrevient aux règles de notre État de droit. Celui qui garde un pied à la présidence — là où doivent se décider, en toute impartialité, les grands choix politiques, économiques et financiers — ne peut avoir un autre pied dans une entreprise intéressée par les marchés de l'État. En sa qualité de président, François Mitterrand est le chef des Armées. Et François de Grossouvre, l'employé de Dassault, l'un des principaux fournisseurs de la défense nationale. François Mitterrand le sait... et lui a pourtant demandé de demeurer à ses côtés, à l'Élysée, là même où on l'a retrouvé suicidé le 7 avril 1994.

Ces cumuls, Mitterrand les évoque sans se rendre compte des énormités qu'il profère. Il va jusqu'à se contredire, et même mentir. Un chef-d'œuvre dans l'art de dire tout et son contraire. Du même coup, le thème de la folie passe à la trappe :

« Je vous répète que François de Grossouvre a quitté mon cabinet à sa demande, en 1985, ou au début 1986, pour pouvoir entrer chez Dassault. Beaucoup de membres de mon cabinet, avec lesquels je suis resté ami, m'ont quitté : ce n'est pas une situation permanente, ici, et ce n'est pas une profession. Ils sont allés dans de grandes administrations, dans de grandes entreprises. Ils ont retrouvé une sorte de liberté par rapport à l'Élysée, c'est normal. Avec François de Grossouvre, nous sommes restés bons amis. Il a continué à avoir son bureau à l'Élysée, où il a malheureusement jugé bon de disparaître, et le reste est secondaire [*sic*]. C'est un homme qui aimait les siens, qui était aimé d'eux, qui avait de grandes qualités. Expliquer le reste, je ne peux pas le faire. »

Le président se garde — la famille Grossouvre ne le

permettrait pas — de se lancer dans une envolée lyrique, comme celle du 4 mai 1993, lors des obsèques de Pierre Bérégovoy quand, sans avoir le courage de les nommer, il a outragé les magistrats et insulté les journalistes en les traitant de « chiens ».

Des « chiens », il n'est cette fois plus question ! François Mitterrand ne peut décemment pas leur imputer le crime d'avoir mordu à « pleines dents » dans l'honneur de François de Grossouvre. À l'heure où il s'exprime à la télévision, nous sommes quelques-uns — Edwy Plenel dans *Le Monde*, Pascal Krop dans *L'Événement du jeudi*, Jean-Marie Pontaut dans *Le Point*, moi dans *Le Quotidien* et *Paris-Match* — à avoir fait état des réquisitoires prononcés devant nous par François de Grossouvre. Contre le président et certaines personnes de son entourage. À tous ces visiteurs qu'il reçoit à dessein, François répète le même discours :

« Je suis peut-être le seul à avoir claqué la porte du président de la République. Je lui ai dit : " *Vous êtes entouré de bandits.* " Le président s'est dressé et m'a répondu : " *Vous ne pouvez pas dire cela.* " Je suis resté sur ma position : " *Non seulement je peux le dire, mais je peux le prouver.* " François Mitterrand m'a alors répliqué, cinglant : " *Je vous l'interdis.* " C'est alors que je lui ai claqué la porte au nez... »

Sous un titre prémonitoire — « À qui le tour ? » — le polémiste Jean-Édern Hallier tape dans le mille, en juin 1993, au lendemain de la mort de René Bousquet, « le fonctionnaire français des camps de la mort et ancien pourvoyeur du socialisme, dont on était trop content en haut lieu d'être débarrassé ». Ex-ami, lui encore, de Mitterrand, Hallier écrit dans *L'Idiot international* un article qui, quelques mois après, retrouve sa cruelle actualité :

« (...) Nous ne voyons que le haut d'un iceberg d'ignominie, où l'argent et la mort se combinent, se répondent et se renvoient l'un à l'autre dans les miroirs glauques des prête-noms et des profondeurs inavouables. Jamais Mitterrand n'a été plus dangereux pour ceux qui l'ont aimé, ou soutenu. Les fusibles sautent les uns après les autres. On est entre les *Sept boules de cristal* de Tintin, et les *Dix petits nègres* d'Agatha Christie. La bande dessinée, le roman d'aventures, le polar, et le mystère se conjuguent. Sauf que nous sommes dans la réalité politique française — et que ce qui se passe est intolérable. Le prince se replie derrière les mares de sang, comme la seiche derrière son encre. Que veut-il ? Ne nous y trompons pas, il veut rester président de la République, sachant mieux que quiconque quels scandales l'éclabousseront aussitôt après son départ. (...) Il est devenu l'homme le plus riche de France. Où ont disparu les bénéfices astronomiques de l'affaire Pechiney ? Qui a empoché au passage lors des innombrables affaires ? Tous les regards, les chuchotements et les non-dits convergent vers un seul homme : François Mitterrand. Pour réussir, il doit se débarrasser de tous les témoins gênants. Qui sera la prochaine victime ? (...) Bientôt on découvrira la fortune colossale de François Mitterrand. En attendant, nous vous proposons le petit jeu : qui sera le prochain ? Au grand cimetière des prochaines victimes, soyez les premiers à mettre des croix. Nous attendons vos réponses. »

À Paul Amar et Patrick Poivre d'Arvor, le chef de l'État assure enfin, le 10 mai 1994, avoir gardé avec François de Grossouvre « des relations très proches ». Ben voyons !

« Je dois dire, ajoute-t-il, que l'annonce — j'étais d'ailleurs là — de sa mort volontaire, de son suicide, m'a causé beaucoup de peine. »

Le choix du lieu — l'Élysée ! — pour accomplir son geste fatal ? Pas chien du tout, François Mitterrand ne le considère pas comme la dernière manifestation d'une révolte, dont il n'a d'ailleurs pas entendu les échos. Non, il ne dira pas que ce coup de feu, le 7 avril au palais, est l'aboutissement malheureux d'une haine qui ressemble à l'amour. Un crime passionnel commis par François de Grossouvre contre lui-même, en raison d'un manifeste dépit affectif et accessoirement politique.

Réponse prosaïque de François Mitterrand :

« Vous pouvez l'interpréter autant que vous le voulez... Je ne sais pas qui peut se sentir autorisé à interpréter la pensée d'un homme qui a choisi la mort. Affectif, je ne verrais pas pourquoi ; politique, je ne connais pas beaucoup de gens qui se suicideraient pour de telles causes. Enfin, je ne les connais pas. »

Moi oui, je les connais, Monsieur le président de la République. François de Grossouvre est de ceux-là !

Curieusement, devant les caméras et les Français à l'écoute, de Pierre Bérégovoy, il n'est tout à coup plus question.

François de Grossouvre ? Jamais le président n'a reçu ses récriminations. Alors, pourquoi les évoquer ?

Ainsi évite-t-il d'avoir à exprimer publiquement la plus petite contrition. Il sait pourtant que, lorsqu'il se suicide à la manière d'un amoureux trompé, à la porte du président qui l'a meurtri, François de Grossouvre tue en lui la partie de sa personnalité dont il n'arrive pas à se débarrasser. Au jeu de la vérité, le conseiller a fini par perdre le moteur de sa vie : François Mitterrand.

Beau-frère du président, l'acteur Roger Hanin l'a parfaitement compris :

« Mitterrand a suscité encore plus de phénomènes amoureux chez les hommes que chez les femmes [1]... »

Serviteur fidèle de la gauche et de son ami le président, François de Grossouvre reçoit comme une trahison la métamorphose de son ami, corrompu par la vie. Il ne peut plus supporter la comédie du pouvoir, le défilé des prébendiers, Bernard Tapie reçu en fanfare à l'Élysée — « le 14 Juillet, vous vous rendez compte ! » —, les amis sacrifiés, l'accumulation des affaires où le nom de François Mitterrand lui revient chaque fois aux oreilles comme une gifle.

Depuis que je le connais, François de Grossouvre affiche une sensibilité qui penche plutôt à droite. Issu

---

1. Confidence à la journaliste Christine Clerc, *Le Figaro*, 17 mai 1994.

d'une famille d'Action française, il ne cesse de se plaindre de Roland Dumas, de critiquer les largesses faites à Guy Ligier, de me répéter sa détestation des idéologues intrigants du Parti socialiste, principalement le spadassin ministre de l'Intérieur (passé à la présidence de la Cour des comptes) Pierre Joxe, et Michel Charasse, qu'il appelle les « mauvais génies du président ». Il voue également une haine tenace à Jean-Christophe Mitterrand (le fils du président), à feu Roger-Patrice Pelat et au préfet Gilles Ménage, le directeur du cabinet de François Mitterrand, « l'homme des écoutes téléphoniques et de toutes les opérations de basse police », entre 1988 et 1993. François de Grossouvre ne pardonne pas la promotion de Ménage, avant le retour de la droite au pouvoir, à la présidence d'EDF, la plus grande et la plus riche entreprise française.

*Déçu comme Béré...*
*et sali comme Lucet*

Le rituel de nos rencontres est à peu près toujours le même. Au téléphone, il ne donne jamais son nom. Par mesure de sécurité. Il redoute comme la peste noire les écoutes pratiquées par les gendarmes de la cellule barbouzarde de l'Élysée. Nos coups de fil doivent être brefs. Nous sommes convenus d'un code secret. Dans mes carnets, il figure sous le pseudonyme de « Monsieur Moulins », par référence à la capitale de l'Allier, le département où il a son château, à Lusigny. Pour lui, je suis « grand-mère ». Ce code, je ne dois surtout pas manquer de l'utiliser quand je l'appelle au 42.92.86.30, son fil direct à la présidence de la République, faubourg Saint-Honoré, ou au 45.55.73.37, le numéro sur liste rouge de ses appartements du 11, quai Branly, l'annexe du Château, dans le VIIᵉ arrondissement, au bord de la Seine, entre le pont de l'Alma et la tour Eiffel. Là sont logés, dans d'autres corps du bâtiment, certains collaborateurs du président. François de Grossouvre y a pris ses quartiers, dès après l'accession de François Mitterrand à la magistrature suprême, en mai 1981.

Forcément discrets, nos rendez-vous n'ont plus lieu, depuis 1989, que dans ce luxueux logement du « triangle d'or » de Paris. Il y tient. J'en suis fort étonné. Je crains pour lui que François Mitterrand ne soit informé de mes visites. Après les « affaires » Pechiney-Pelat et Société Générale, en 1988, j'ai cessé de le voir à l'Élysée, dans ce petit bureau du premier étage, en face de l'ancien hôtel des Rothschild, où on l'a retrouvé suicidé, devant la photo de feu son ami Gaston Defferre.

À chacune de mes visites, je laisse ma voiture au début de l'avenue Rapp, à deux pas du quai Branly. Précaution de routine : mon accoutrement me fait ressembler à un élégant chasseur, le costume qui sied à un visiteur de M. de Grossouvre, le responsable des chasses présidentielles, poste dont j'ai toujours pensé qu'il lui sert de couverture pour rencontrer discrètement les plus obscures ou plus hautes personnalités.

Nul n'a jamais su qu'en 1986 il organise, au pavillon de chasse de Marly, un déjeuner rassemblant le président François Mitterrand et deux des grands leaders de l'opposition de droite. En secret, il faut fixer les règles du jeu de la future et première cohabitation. Deux ans après, toujours grâce à François de Grossouvre, le candidat Mitterrand s'entretient, à l'abri de tous les regards, avec son adversaire malheureux Raymond Barre, entre les deux tours de l'élection présidentielle de 1988, alors que Jacques Chirac reste seul en lice pour la droite. Des propos étonnants sont alors échangés entre les deux hommes, dans le salon de François de Grossouvre, quai

Branly : on parle de Matignon. Évidemment, le président s'empresse d'oublier sa promesse de Gascon. Bref, cette fois encore, François de Grossouvre a efficacement assumé sa mission d'homme de l'ombre, je veux dire de confiance.

Quand je me présente à l'hôtel de « ces Messieurs du Palais », le cérémonial est toujours le même. Le 11, quai Branly est gardé par une lourde porte cochère, elle-même surveillée par une caméra télécommandée. À gauche, une petite porte et un interphone :

« Je suis attendu par Monsieur de Grossouvre.

— Oui, on vient vous prendre. »

Un malabar en civil me fait entrer. Toujours tiré à quatre épingles. Cinq mètres plus loin, sur la gauche, une autre porte. Fermée à double tour. Le garde actionne la serrure de sûreté :

« Vous connaissez les lieux ?

— Oui. Inutile de m'accompagner. »

Derrière moi, l'homme du Groupe de sécurité de la présidence de la République, le fameux GSPR, referme la porte. À clé. Je prends l'escalier sous lequel est rangé un vélo. La bicyclette de « l'étage » Mitterrand.

Au second et dernier étage, derrière une porte vitrée, mon hôte m'attend toujours avec le même sourire énigmatique. Dans le vestibule, cinq ou six boîtes à fusils de grande facture. À droite, le salon :

« C'est le plus bel appartement du quai Branly, dit-il. Pierre Bérégovoy, secrétaire général de l'Élysée, avait tenté de l'obtenir au début du premier septennat. Mais je l'ai pris de vitesse. »

François de Grossouvre me confie aussi qu'en 1993, sur instruction de Mitterrand, l'appartement situé au-dessous du sien a été mis au nom de l'ancien ministre du Budget, Michel Charasse, aujourd'hui le conseiller le plus actif, l'homme à tout faire du président. En présence d'un de nos amis communs, il explique :

« En sa qualité de sénateur du Puy-de-Dôme, Charasse jouit de l'immunité parlementaire. Ce n'est pas lui qui occupe l'appartement du premier. Le sénateur sert de paravent. En fait, François Mitterrand abrite là sa vieille amie, Anne Pingeot[1], ainsi que sa fille.

— Depuis longtemps ?

— Longtemps ou pas, le problème est le même. Anne est ici provisoirement. Car le juge Jean-Pierre risque de vouloir la visiter. Chez elle, c'est possible. Mais dans ces lieux, on la croit à l'abri. (...) »

Pour la première fois, l'été dernier, François de Grossouvre évoque devant moi cet aspect de la vie cachée du chef de l'État. Il n'hésite plus à désigner nommément cette relation de François Mitterrand, dont on parle depuis belle lurette dans les dîners en ville et même dans certaines gazettes. Le doigt pointé vers le bas, il me livre à voix basse ces secrets qui, de toute évidence, lui pèsent sur le cœur :

« L'appartement du dessous sert aussi de refuge au

1. Cf. *infra*, pages 246 à 263.

président. Il y passe souvent. Parfois, il y vient le soir. Je connais Anne depuis longtemps, de même que sa famille, originaire de Clermont-Ferrand. Ils se fréquentent depuis l'époque de la maison d'Hossegor, avant l'achat de la propriété de Latché. »

Conversation à bâtons rompus. J'interroge :

« Hossegor ? C'est de cette période que doivent aussi dater les liens avec ce docteur Raillard dont on me parle de plus en plus ? Celui qui a été chargé par l'Élysée d'une étude sur l'implantation des scanners dans le secteur hospitalier ?

—. Raillard ? Vous êtes au courant ? Ah, celui-là !

— Oui, c'est un colosse, un amateur éclairé de golf, d'immobilier et, lui encore, de livres rares... comme Mitterrand, Pelat et Bérégovoy. François Mitterrand lui doit la vie, n'est-ce pas ? On me raconte que **jadis** le docteur Raillard l'a sauvé *in extremis* de la noyade. Fort comme un Turc, il aurait réussi à l'arracher au courant. Voilà à quoi tient le destin d'un pays ! »

François de Grossouvre esquisse un sourire. La conversation revient sur Anne Pingeot. C'est une gentille fille. Il la connaît et n'en dit que du bien. Je m'étonne :

« Depuis l'esclandre littéraire de Jean-Édern Hallier et *Le Bon Plaisir*, le roman à clé de Françoise Giroud publié en 1983 chez Mazarine — ce qui n'était pas du meilleur goût ! —, plus personne ne parle d'elle, si ce n'est dans les salons. Je ne vois pas pourquoi Mitterrand s'inquiète. Nous ne sommes ni aux États-Unis ni en Angleterre. Ici, les hommes publics n'ont pas de comptes à rendre sur leur vie personnelle. »

François de Grossouvre hoche la tête. Signe de dénégation, un peu à la manière de ces vieux aristocrates d'Athènes chez lesquels, aux beaux jours, j'aime me ressourcer en les écoutant, à l'ombre apaisante des eucalyptus, s'énerver, dans toutes les langues de la terre, contre les scories de nos sociétés perverties par une folle modernité. Il me répond à mots couverts. Sa voix se fait de plus en plus faïble, comme s'il redoutait d'être écouté :

« Justement, le président sait bien que, dans ce cas précis, il ne peut s'agir de vie privée. Tout cela se passe dans les murs de l'État, aux frais de la nation. Le président est protégé par la Constitution. Pas Anne. En étant ici, on l'expose encore plus. Et le président se découvre. François Mitterrand ne le comprend pas. J'en ai assez de ces salades ! Au début du premier septennat, je suis intervenu pour que Jean-Édern Hallier ne publie pas *L'Honneur perdu de Mitterrand*, qu'il avait précédemment intitulé *Mitterrand et Mazarine*. Ce livre était horrible. Maintenant, l'histoire recommence. Et dans un tribunal, vous vous rendez compte ! Tout cela me fatigue. En plus, on va citer mon nom. Il figure, avec ceux d'Anne et du président, dans le dossier d'une société civile immobilière, à Gordes... C'est par Anne qu'un lien financier entre Pelat et le président peut être incontestablement établi. Mon nom va être mêlé à celui de Pelat, alors que je n'ai rien à me reprocher, rien à voir dans ses sales affaires. Les récentes investigations du juge Thierry Jean-Pierre, dans le dossier Pelat, inquiètent terriblement le président. Ce Jean-Pierre, vous le connaissez. C'est vous qui lui avez remis le dossier Urba. Vous savez ce qu'il vaut ? Croyez-vous qu'il ira jusqu'au bout ?

— Oui, c'est un magistrat courageux, compétent. Il mène son opération " mains propres ". Je sais qu'il travaille beaucoup sur les mécanismes de blanchiment de l'argent sale. Il est allé en Italie pour rencontrer les juges anti-Mafia. Avec lui sur le dos, le président a du souci à se faire. »

François de Grossouvre s'agite. Il me demande de le suivre dans l'enfilade de l'appartement. Après la salle à manger, le petit bureau. Debout, il me parle à l'oreille :

« Le juge a déjà dû trouver des choses sur la rue Jacob où habite Anne Pingeot. Le président est très inquiet. Au début, elle n'y occupait qu'un petit appartement. Mais, au fur et à mesure, elle a pris ses aises. Elle s'est agrandie. Des travaux ont été effectués. Le juge veut savoir d'où est venu l'argent. Il soupçonne Patrice Pelat d'avoir réglé certaines dépenses, avec les commissions récoltées illégalement grâce à l'amitié du président. Le juge Jean-Pierre a certainement trouvé la faille. Je sais qu'il est sur la bonne voie. Il va pouvoir maintenant remonter jusqu'à François Mitterrand. J'avais prévenu le président que tout cela finirait très mal. Il n'a pas voulu m'écouter. Et puis, il y a le château de Souzy-la-Briche.

— Souzy la quoi ? »

François de Grossouvre ménage son effet :

« Comment, vous ne le connaissez pas ? C'est un vaste domaine de deux cent cinquante hectares dans l'Essonne, près d'Étampes, à trente kilomètres de Paris. Il fut légué à l'Élysée par ses anciens propriétaires, au temps du général de Gaulle. Georges Pompidou et Valéry Giscard d'Estaing n'en ont rien fait. Après 1981, sur le budget de la présidence, Mitterrand l'a fait rénover et aménager à grands frais, pour pouvoir s'y reposer le week-end, en toute tranquillité. Avec Anne Pingeot et sa fille. Je vous ai dit qu'il avait la manie des châteaux. Comme Pelat. C'est plus fort que lui. Vous devriez chercher de ce côté-là. Des chasseurs de la région de Souzy m'ont averti qu'il y a une embrouille... »

François de Grossouvre ne fait pas allusion à l'odyssée, découverte dans la presse au moment de sa mort, du cheval Gengi, étalon turkmène offert à la présidence de la République en 1993 et mystérieusement disparu... avant d'être retrouvé, le 5 mai 1994, au château de Souzy-la-Briche. Comme le narre dans *Le Point* du 14 mai 1993, Marie-Thérèse Guichard, auteur du livre *Le Président qui aimait les femmes*[1], la folle cavale du cheval de l'Élysée est « une clochemerlesque et opaque affaire où sont illustrées quelques-unes des dérives de notre monarchie républicaine. »

Désormais, au fur et à mesure de mes rencontres avec François de Grossouvre, les éléments qu'il me

---

1. Éditions Robert Laffont, 1993.

livre sont de plus en plus précis. Je remarque qu'ils n'épargnent plus l'héritier de Jean Jaurès et de Léon Blum, la personne même du chef de l'État.

De toute évidence, ces derniers temps, mon interlocuteur a changé d'attitude depuis les débuts de la période rose et du premier septennat... Quand, passant le voir à l'Élysée, je dois lui mettre du collyre dans les yeux, tant il rit des formidables imitations de notre ami commun, plus François Mitterrand que Mitterrand lui-même, irrésistible aussi dans son pastiche du président Edgar Faure. Ainsi détend-il l'atmosphère lors de nos rencontres au palais, en nous invitant tous deux à un peu moins de gravité dans la sulfureuse confrontation de nos secrets.

Quand il me reçoit pour la première fois à l'Élysée, à la fin de 1982, pour m'entretenir secrètement d'Urba — l'officine de racket du Parti socialiste, dont je viens de révéler l'existence dans *Le Quotidien de Paris* et *Le Figaro Magazine* —, le chargé de mission de François Mitterrand est pour lui un ange gardien. Jamais à son égard il ne prononce devant moi le moindre mot désagréable. En charge du secteur réservé de la présidence — celui des opérations délicates, des dossiers très sensibles, de la police et des services secrets —, Grossouvre est visiblement là pour parer les coups, nouer des contacts, prendre le pouls du pays réel. Même chez les adversaires déclarés, dont je suis, du nouveau pouvoir socialo-communiste.

L'initiative de notre rencontre ? Elle vient de lui. Je

n'en suis pas étonné. Les hommes de pouvoir ne détestent pas forcément ceux qui les bousculent. Souvent même, ils recherchent leur compagnie. François m'a fait contacter discrètement, par l'intermédiaire d'« Épigone », le nom de code de notre ami « l'artiste », qu'il nous arrivera aussi de surnommer « bigoudi », à cause des bouclettes de la formidable perruque grise de chez Jacques Dessange, dont il m'a coiffé pour m'introduire plus discrètement à l'Élysée. Elle me fait ressembler à un renard argenté. Merveilleux moment. Nous le perpétuerons, en imaginant, chaque fois qu'il sera possible, une autre scène comique, qu'aucun de nous trois ne pourra oublier.

Dès le départ, François de Grossouvre connaît tout de moi, comme moi de lui. J'ai fait ma petite enquête. Je sais qu'il est, à l'occasion, l'un des financiers du PS. On m'a même assuré que le conseiller du président est au centre d'« un dispositif parallèle ». En plein conflit entre l'Iran et l'Irak, il est intervenu, auprès d'industriels de mes amis, pour obtenir une commission de 5 millions de francs sur un marché de 150 millions. Sur les Champs-Élysées, une société M... fabrique alors une machine très convoitée par les belligérants. Dans son usine de Nevers, elle produit à la chaîne un véhicule militaire redoutable permettant de creuser, puis de recouvrir aussitôt des tranchées, où sont automatiquement disposées des mines déclenchées à retardement. L'idée de prélever, pour le compte du PS, un pourcentage sur la livraison de ce produit miracle est introduite à l'Élysée par un autre ami (domicilié rue Raynouard) de François

Mitterrand. Lui-même en rapport avec Grossouvre. J'ai encore appris que cette affaire n'a pu aboutir en raison de la courageuse intervention d'un haut fonctionnaire de la Direction générale de l'armement, au ministère de la Défense.

Bref, sur l'homme des services secrets et du secteur réservé, j'ai constitué un petit dossier. On n'est jamais trop prudent. Ni assez informé. Il est né le 29 mars 1918 à Vienne, dans l'Isère, de Renée Robine, une maîtresse femme, grand cordon bleu, et du banquier Maurice de Grossouvre, fondateur de la Banque française du Liban.

François n'est socialiste que par raccroc. À cause de sa passion pour Mitterrand, auquel il consacre toute sa vie. Ils ne se sont pas quittés depuis 1959, date de leur rencontre à Paris, lors d'un déjeuner au Berkeley, un restaurant alors très huppé, avenue Matignon.

C'est l'année des exploits du sénateur François Mitterrand, dans les jardins de l'Observatoire, à Paris. Cet épisode rocambolesque, survenu en octobre 1959, est longuement relaté dans mon précédent livre, *Lettre ouverte d'un " chien " à François Mitterrand*. Je le vécus aux premières loges. Mon père, le sénateur René Montaldo, était assis dans l'hémicycle à côté de François Mitterrand, en raison de l'ordre alphabétique et de leur commune appartenance au groupe de la Gauche démocratique.

Une nuit, en plein Paris, deux lascars tirent à la mitraillette sur la Peugeot 403 vide de François Mitterrand. À sa demande, le sénateur attend tranquillement, couché sur la pelouse, derrière une haie. Après cet attentat bidon, il est un homme fini. Personne ne mise plus un kopeck sur cet ancien ministre qui, pour redorer son blason, se faire aduler par le peuple de gauche dont il a déjà fait son fonds de commerce, a ainsi tenté de se faire passer pour un martyr des ultras de l'Algérie française. Il est inculpé d'outrage à magistrat, pour avoir porté plainte, avec constitution de partie civile, contre les auteurs de cet acte criminel qu'il a commandé et organisé. Ridiculisé, lâché par ses amis politiques — dont mon père, auquel il a menti, comme à tout le monde —, Mitterrand est un homme seul. Il lui faut tout recommencer.

Durant cette période tumultueuse, Mitterrand se lie d'amitié avec Grossouvre qui n'est pas un politique et ne lui tourne pas le dos. Élève des bons pères, comme Mitterrand, François de Grossouvre est docteur en médecine, exploitant agricole, ex-président de la Chambre de commerce franco-sarroise, ancien P-DG des sociétés Le Bon Sucre, A. Berger et C$^{ie}$, devenu le prospère embouteilleur, à Lyon, de la très capitaliste multinationale Coca-Cola.

Les nouveaux amis ont des points communs. Provinciaux, ils ont tous deux flirté avec l'extrême droite d'avant guerre. À l'Action française pour Grossouvre, du côté de la Cagoule pour Mitterrand. Grossouvre est un authentique résistant. Si, jusqu'à la fin de 1942, il a appartenu, à Lyon, au Service d'ordre légionnaire (SOL) — le mouvement de Joseph Darnand qui devient, en 1943, la Milice —, c'est à la demande expresse de la Résistance. Début 1943, il rejoint le maquis de la Chartreuse, dans l'Isère, ce qui lui vaut plusieurs décorations.

En 1961, Grossouvre accompagne François Mitterrand à Pékin, chez Mao. Il est l'organisateur du voyage. À cette occasion — il me le confirmera plus tard —, il fait la connaissance du riche financier franco-suisse Jean-Pierre François, un autre ami précieux, dans l'ombre portée de François Mitterrand et de Roland Dumas. C'est le banquier François, très introduit, entre autres, auprès du gouvernement chinois, qui fournit à Grossouvre et Mitterrand les visas pour ce périple.

Quand Mitterrand se présente contre le général de Gaulle à l'élection présidentielle de 1965, Grossouvre est le chef d'orchestre de sa campagne électorale. Est-ce grâce à son entregent que le candidat Mitterrand ne se voit pas même reprocher, par ses adversaires de droite, son inculpation dans l'encombrante affaire de l'Observatoire, dont l'instruction est toujours en cours et dont on attend en vain le jugement ? Beaucoup le prétendent.

Après le congrès d'Épinay de 1971 et la désignation de François Mitterrand comme premier secrétaire du PS, qui vient d'être conquis de haute lutte, François de Grossouvre contrôle les opérations financières du parti. Dès lors, il partage son temps entre son domaine, dans l'Allier — où il est éleveur — et Mitterrand, qu'il accompagne sur toutes les routes de France et d'ailleurs. Dans les rapports des Renseignements généraux et de la DST, il est noté que François de Grossouvre est « un homme d'affaires avisé, silencieux et secret ». Au PS, où il ne se mêle guère de politique, les jaloux lui reprochent d'être le porte-serviette du premier secrétaire, dont il est le seul et véritable ami. Nul ne peut jamais assister à leurs conversations. En réalité, toujours derrière Mitterrand, Grossouvre s'occupe de tout : de l'écharpe, de l'imperméable, des journalistes et de quelques affaires plus privées, sur lesquelles il me sera donné de revenir...

En 1974, Grossouvre est à nouveau mis à contribution. Il assure, pour François Mitterrand, la logistique de sa campagne contre Valéry Giscard d'Estaing. Membre du PS, il y est le spécialiste des affaires de sécurité et du contre-espionnage. Une vieille passion héritée de la Résistance. Aussi anime-t-il, avec un ancien du SDECE — qui est à la France ce que la CIA est aux États-Unis, et le KGB à la Russie —, une cellule de réflexion sur les renseignements de défense et les « services ». Arrivé à l'Élysée dans le sillage de François Mitterrand, il devient tout naturellement le véritable patron des services secrets et des affaires très spéciales. Il est, dans l'organigramme officiel du 6 août 1981, « chargé de mission auprès du président de la République » avec pour attribution : « SDECE, affaires diverses... »

C'est à ce gentleman-farmer d'un genre particulier que je rends visite. On me le décrit comme un homme raisonnable, intelligent, pondéré, de bonne compagnie. À l'époque, il est l'un des rares, dans l'entourage sectaire de François Mitterrand, à aligner ces différentes qualités. Opposé, depuis toujours, aux menées du Parti communiste, Grossouvre m'est présenté comme un farouche adversaire des coupeurs de têtes du congrès socialiste de Valence : les Paul Quilès, André Laignel ou Pierre Joxe, pour lesquels — Laignel *dixit* — « la droite a juridiquement tort parce qu'elle est politiquement minoritaire ».

À cent lieues de ce militantisme imbécile, François de Grossouvre n'a pas d'œillère. Sa porte est ouverte aux personnalités de tous bords. Il en profite pour s'informer. Sans en avoir l'air.

Lors de notre premier rendez-vous, dans son bureau de l'Élysée, je n'ai pas à montrer patte blanche. On me fait passer par une entrée latérale. Je suis surpris par l'aide de camp d'occasion, dont l'allure Neuilly-Auteuil-Passy tranche plutôt agréablement, en ces premiers temps du socialisme échevelé, avec celle des députés barbus de l'Assemblée nationale.

Avant de pénétrer dans ce bureau où je fais sa connaissance et vais souvent revenir, nous passons devant le comte de Paris, prétendant à la couronne de France. Assis sur une banquette, Monseigneur fait antichambre. Il attendra la fin de notre visite. Je salue François de Grossouvre :

« Que fait le roi dans le couloir ? »

Monsieur le conseiller éclate de rire :

« Cher monsieur, le général de Gaulle lui a promis la France, moi je lui donne l'Afrique. »

De cette prise de contact, va naître une amitié, ma singulière complicité avec François de Grossouvre.

Nous nous entretenons déjà d'affaires de corruption. Tout au long des années qui vont suivre, ce sera le thème central de nos conversations. Car François de Grossouvre finit par tomber d'accord avec moi — c'est tout du moins ce qu'il me dit, souvent devant témoin — pour désigner la corruption comme le grand fléau du règne de François Mitterrand.

Par un hasard extraordinaire, notre premier entretien porte notamment sur une affaire — celle du suicide de René Lucet à Marseille — qui, à bien des égards, présente des similitudes avec la fin dramatique de François de Grossouvre à l'Élysée. À douze ans d'intervalle, les mêmes causes produisent les mêmes effets. Comme René Lucet, François de Grossouvre va se retrouver aux prises avec les réseaux de l'argent sale, « de l'argent facile, de l'argent qui corrompt, de l'argent qui tue »... Comme lui, il connaîtra l'ingratitude des hommes, les procès que les vivants savent faire aux morts pour rejeter sur eux leurs propres tares et péchés.

Nous sommes en 1982. Cela fait plusieurs mois que je guerroie, dans la presse et l'édition, contre les bandes organisées de faux facturiers au service des deux grands partis maintenant au gouvernement : le PS et le PC. C'est le réseau Urba pour les socialistes ; celui des mutuelles de santé pour les communistes, en sus de leurs trois cents sociétés commerciales et monopolistes de racket.

En mars, le suicide de René Lucet est le premier grand scandale du nouveau régime. Car Lucet est la victime expiatoire de la chasse aux sorcières lancée par les socialistes et les communistes, dès 1981.

Directeur de la Caisse nationale d'assurance maladie des Bouches-du-Rhône, René Lucet a déclaré la guerre à la CGT et au Parti communiste, avant l'accession de la gauche au pouvoir. Dossiers à l'appui, il les accuse de capter une partie des fonds des assurés sociaux, via de puissantes mutuelles et des organismes satellites. Ce qu'il a découvert est proprement hallucinant et explique, en partie, le déficit endémique de la Sécurité sociale. La situation n'a d'ailleurs fait que s'aggraver depuis lors. Et pour cause... Avec l'accord des dirigeants nationaux de Force ouvrière, dont il fait partie (André Bergeron est son ami), du maire de Marseille Gaston Defferre, du ministre de la Santé Simone Veil, René Lucet est arrivé dans le Midi, sous la droite. Il vient de Seine-et-Marne, où il s'est distingué pour sa gestion exceptionnelle. Il a pour mission de réorganiser la Sécurité sociale des Bouches-du-Rhône, l'une des plus importantes de France. Elle vit dans une pagaille indescriptible. Son trou financier prend la dimension d'un gouffre. Il prend les décisions adéquates et commence un sérieux coup de balai.

Chez les communistes, c'est la révolution. Ils perdent un gros et bon gâteau. Ils mettent tout en œuvre pour le récupérer. La cassure de 1981 arrive à point. Avec quatre ministres au gouvernement, dont un, Jack Ralite, à la Santé, ils peuvent exercer d'efficaces pressions pour obtenir la peau de René Lucet, l'homme qui en sait trop.

Ministre de l'Intérieur, le maire de Marseille Gaston Defferre ne veut pas de vague dans sa ville. Il abandonne Lucet. De ces considérations politiques, celui-ci se moque éperdument. Comptable des fonds publics sous sa responsabilité, il entend stopper l'hémorragie et poursuivre le grand ménage commencé dans la nébuleuse des organisations mises en place par le PC et sa CGT, pour se financer au crochet des professions de santé et des assurés sociaux. Naïveté !

Le coup fatal lui est porté par Nicole Questiaux, ministre socialiste de la Solidarité nationale. Proche du PC, elle a sous sa tutelle les caisses d'assurance maladie. À la demande de la CGT, c'est elle qui organise l'éviction de René Lucet. Dans des conditions telles que, pour se venger, le directeur de la Sécurité sociale des Bouches-du-Rhône choisit de se donner la mort... Le scandale est immense. La France est bouleversée. À Paris, le pouvoir socialiste encaisse mal le choc de la honte.

Très vite, comme pour François de Grossouvre en 1994, les hommes du président, les relais du PS et du PCF passent à la contre-offensive. Avec le concours de quelques magistrats aux ordres et de journalistes complaisants — j'allais dire militants —, on tente de réduire ce suicide à une banale affaire de « droit commun ». Exactement comme pour François de Grossouvre en 1994, qualifié, lui, d'« indélicat » et de « dément ».

Sur Lucet, une rumeur court Marseille. Bientôt elle s'étend dans les colonnes des organes de gauche, puis elle est reprise par un journaliste communiste venu de *L'Humanité*, fraîchement nommé à la télévision d'État (il est aujourd'hui son correspondant à Moscou!). En gros, on laisse entendre que l'« incorruptible » René Lucet n'est pas Eliott Ness. Il ne serait en réalité qu'un mégalomane, un trafiquant d'influence en relation avec une figure du milieu, l'illustre Dominique Venturi, idole des nuits chaudes de la Canebière.

En moins de dix jours, la contre-attaque du pouvoir socialo-communiste porte ses fruits. Et une enquête judiciaire est ouverte pour « déterminer les causes de la mort de René Lucet ». Ce qu'on évite de faire, en 1994, après la mort, à l'Élysée, de François de Grossouvre.

À Marseille, le corps de Lucet est exhumé. Pour une contre-expertise médico-légale. Elle s'avère infructueuse, mais réserve une surprise de taille. À la première autopsie, on ne lui a trouvé qu'une balle dans la tête. À la seconde, il y en a deux! Suicide à la marseillaise...

À Paris, je boucle mes valises et descends à Marseille. Moins pour expliquer cette multiplication des plombs que pour enquêter sur la gestion « contestée » de René Lucet. J'ai tôt fait de débusquer ses archives. Plusieurs cartons : les dossiers sont bien rangés. Les preuves des détournements de fonds par les communistes sont soigneusement classées dans des chemises, datées et annotées. Irréfutable! Le PC et la CGT sont noirs comme des charbonniers. La gestion de René Lucet ? Il était un administrateur exemplaire, irréprochable. Tous ces ragots n'ont d'autre objectif que de salir la mémoire d'un mort, pour que le premier gouvernement de François Mitterrand n'ait pas à rendre de comptes sur les « événements » — et non plus seulement les « circonstances » — qui ont précédé le « suicide » de Lucet.

Subsiste l'accusation véhiculée par socialistes et communistes : les liens coupables qu'il aurait entretenus avec ce Dominique Venturi — « Nick » pour les intimes — dont l'histoire est associée à celle de la turbulente capitale des Bouches-du-Rhône.

Sur cet aspect du dossier, mes investigations s'avèrent plus délicates. À Marseille, dans certains milieux, on n'aime pas les curieux.

Bientôt, je sonne à la bonne porte et parviens à récupérer une liasse de documents dont je mesure, sur-le-champ, toute la portée. J'ai en main les « protocoles » passés entre les socialistes de la mairie de Marseille et les faux facturiers qui y sévissent, depuis des temps immémoriaux. En toute impunité.

En juin 1982, je révèle donc les dessous de l'affaire, c'est-à-dire l'existence des « marchés réservés » et « très confidentiels » des rois de la Canebière. Ces guillemets ne sont pas de moi. Ils figurent sur les pièces en ma possession qui prouvent la présence, dans la mairie de Gaston Defferre, d'un réseau de corruption bientôt poursuivi par la justice. Car si, à la télévision d'État, toutes les chaînes me sont fermées, au palais de justice de Marseille mes dossiers sont analysés. À la loupe. Le pouvoir n'a pas encore pu tout verrouiller.

Du même coup, de la prétendue malhonnêteté de René Lucet, il n'est plus question. Le 13 juillet 1982, à la demande du juge d'instruction Chantal Coux, je suis entendu par le commissaire Penaud, chef de la brigade financière de la PJ de Marseille et ses adjoints. Commencée à 9 heures du matin, ma déposition dure jusqu'à 3 heures de l'après-midi. Les policiers mouillent leurs chemises. On m'invite à déjeuner. Pas le temps ! J'explique que Dominique Venturi, le principal et nouvel inculpé dans cette affaire de fausses factures, est un vieil ami de Gaston Defferre. Autour de moi, les visages se figent. À Marseille, ces choses ne doivent pas être dites. On me prie de contrôler mes propos. C'est le ministre de la Police que, sans fioriture, j'accuse de corruption. Grâce à lui, Nick Venturi est, depuis des lustres, le bénéficiaire des « marchés réservés » de sa bonne ville de Marseille. Il est aussi, et je le prouve, un militant, un camarade des socialistes.

Tout a commencé aux temps heureux de la IV$^e$ République. J'ai pu établir que la création de la fausse « coopérative ouvrière [sic] » de Venturi, dite Coopérative d'entreprise générale du Midi, la CEGM, date de la première élection de Gaston Defferre à la mairie de Marseille, en 1953. Depuis, Nick n'a cessé d'être l'autre monarque du Marseille socialiste, un roi demeuré longtemps sans visage et dont personne n'ose même prononcer le nom. Ce protecteur des socialistes marseillais — avec lesquels il travaille en intérêts croisés —, est l'une des vedettes du livre *D comme Drogue*, aux éditions Alain Moreau, et surtout de la grande enquête *The Heroin Trail* (La Piste de l'héroïne), publiée par le quotidien newyorkais *News Day* et prix Pulitzer en 1974. Mais de ces accusations journalistiques, Venturi s'est toujours défendu, avec succès. Et il n'a pas été inquiété par la justice. Ce n'est donc pas là qu'il faut le chercher. Le mal ? Il est ailleurs. Là où on s'y attend le moins.

À Marseille, la presse locale n'a jamais osé représenter en photo le tandem Venturi-Defferre. « Nick » a, paraît-il, horreur des portraitistes, qu'il s'agisse de ceux de l'identité judiciaire, ou des paparazzi du *Provençal* et du *Méridional*, les quotidiens locaux. Pourtant ce cliché chic existe. Et il est choc. Lors de mon enquête, je réussis à trouver la photo qui explique tout. On me dit qu'elle est interdite à la publication. Depuis des lustres. Et que l'artiste, auteur du seul instantané qui ait un jour existé, s'en est allé prendre le pastaga avec Raimu, dans l'au-delà.

Je laisse mes amis de Marseille à leurs rêveries. Et par chance, je retrouve le négatif de la photo de famille si redoutée. Il ne s'agit pas d'une scène de vacances, devant le Parthénon. Le professionnel à l'origine de cette image pieuse assiste, ce jour-là — vers la fin des années soixante —, à un grand défilé des socialistes marseillais. En tête du cortège, trois hautes personnalités : l'ancien premier secrétaire du

PS, Guy Mollet (à droite) ; Gaston Defferre (au centre) ; Dominique Venturi (à gauche). « Nick » enlace Defferre par le bras, tandis que le maire de Marseille fait de même avec Guy Mollet, le pape des socialistes sous la IV<sup>e</sup> République, ministre du général de Gaulle sous la V<sup>e</sup>. Nous sommes à un défilé militant. Ce soir-là, on chante l'*Internationale* et le Tout-Marseille defferriste reçoit la confirmation de la toute-puissance de Nick, responsable de la garde personnelle du maire, de l'organisation de ses campagnes électorales. Il dispose même d'un bureau à l'hôtel de ville. Révélatrice, cette photo traduit ce que Nick Venturi veut dire quand il déclare, menaçant, juste avant d'être embarqué par la police, direction le violon :

« Retenez-moi ou je parle. »

À Marseille, les arrestations vont bon train. Par fourgons entiers. Bientôt, les employés de Gaston Defferre s'entassent à la prison des Baumettes, où sur les murs d'enceinte on peut lire : « Mairie annexe. » Venturi est abandonné par ses courageux complices de l'hôtel de ville. Il goûte, pour la première fois, l'inconfort de l'univers carcéral. Prudent, le juge d'instruction préfère ne s'intéresser qu'aux comparses. Il évite soigneusement de remonter jusqu'aux commanditaires et bénéficiaires du système : les hauts responsables socialistes de Marseille et leur patron, Gaston Defferre.

Sur le Vieux Port, les étrangers trop curieux ne sont pas les bienvenus. On me prévient : armés comme des porte-avions, une vingtaine de « cultu-

ristes » sont à mes trousses, avec ma photo. Ça sent le
roussi : il me faut prendre le large. Le procureur de la
République est « incapable d'assurer plus longtemps
ma sécurité, dans le périmètre de la ville ». Sous
bonne garde, on m'impose de quitter Marseille, caché
dans le cockpit d'un avion d'Air France. Pendant
quelque temps, je dois me mettre au vert. Été de
« chien »...

C'est de tout cela dont je m'entretiens avec François de Grossouvre, dans son bureau de l'Élysée, celui
qu'occupaient naguère Marie-France Garaud (sous
Georges Pompidou) et Victor Chapot (sous Valéry
Giscard d'Estaing). L'entrée en matière est brutale :
« Dites donc, vous y êtes allé fort avec cette histoire
de fausses factures à la mairie de Marseille. Elle est
très embêtante. Vous êtes injuste. Mon ami Gaston
Defferre n'est pas l'homme que vous décrivez...
— Je n'ai dit que la vérité. D'ailleurs, je détiens les
preuves de ce que j'avance.
— Mais vous prenez de gros risques. À Marseille,
à cause de vous, des gens sont en prison. On vous en
veut...
— Oui, je sais. On a voulu me tuer. J'ai été sauvé
*in extremis*. Ma bonne étoile. Vous y êtes peut-être
pour quelque chose, n'est-ce pas ? »
L'homme à la fine barbichette reste de marbre.
Aucun signe d'acquiescement, ni de dénégation. Je
sais pourtant qu'un service sous ses ordres n'est pas
étranger à mon sauvetage. À Marseille, j'ai été
prévenu, quelques minutes avant que le charmant

commando entre en action. Sans le savoir, j'étais
suivi. De bonnes âmes veillaient à ma sécurité. Car
mon assassinat dans la capitale des Bouches-du-
Rhône aurait immanquablement rejailli sur Defferre.
Lors de mon audition, ne l'ai-je pas mis en cause,
dans cette affaire de fausses factures, la première de
l'après-mai 1981 ?

François de Grossouvre est imperturbable. En face
de moi, il a le port du duc de Guise. Avec calme, il
prend quelques notes. Je poursuis :

« Le contrat sur ma tête court toujours à Marseille.
Il me serait agréable que vous puissiez faire savoir à
Monsieur le ministre de l'Intérieur, Gaston Defferre,
que, s'il était mis à exécution, il serait le premier
appelé à s'expliquer. Les pièces de mon dossier sont
entre de bonnes mains. Deux notaires sont chargés
d'en fournir la copie à la justice et aux exécuteurs
testamentaires que j'ai désignés, pour le cas où un
imprudent viendrait à m'administrer un shampooing
au barillet. »

La métaphore détend l'atmosphère. La glace est
rompue. Calé dans son fauteuil, François de Grossouvre comprend qu'il vaut mieux changer de sujet.
J'apprends à le connaître. Diplomate, quand une
question le gêne ou ne lui plaît pas, il passe à une
autre. Comme si de rien n'était. Celui que je ne vais
pas tarder à appeler « mon cher François » — en
réponse à ses paternels « mon petit » ou « mon bon
Jean » —, m'indique maintenant pourquoi il a voulu
me voir. Il entend s'expliquer sur le rôle qui lui est
attribué dans le réseau de racket Urba, l'autre

ténébreuse affaire sur laquelle j'ai déjà beaucoup écrit.

Au fil d'une grande enquête à tiroirs du *Quotidien de Paris*, nous venons en effet de dévoiler comment les socialistes sont devenus orfèvres dans l'art d'exploiter les lois régissant les marchés publics. Pour la première fois apparaissent les noms des bureaux d'études bidons, que tout le monde connaît aujourd'hui. Ils ont été créés, dès 1972, à la demande de François Mitterrand, pour ponctionner, partout en France, les sociétés publiques et privées en rapport d'affaires avec les mairies, conseils généraux ou régionaux, ministères et administrations à la main des socialistes.

François de Grossouvre? J'ai découvert qu'aux côtés de Charles Hernu, Jean Deflassieux (devenu le président du Crédit Lyonnais, après mai 1981), Gérard Monate et plusieurs autres « apparatchiks » du PS, il figure dans les actes constitutifs de ces sociétés fantômes, chargées de la collecte des fonds occultes. Trafic d'influence, ingérence, fausses factures, faux en écritures et usage de faux, détournements de fonds publics, comptabilités fictives, abus de biens sociaux, escroqueries, corruption... le catalogue est complet.

Tel Ali-Baba, je viens de pénétrer dans la caverne des voleurs. Derrière son bureau, François de Grossouvre n'est pas à l'aise. Il me regarde comme si j'étais un dinosaure :

« Vous ne savez pas tout, reprend-il. Vous semblez ignorer que, dès après la création d'Urba, j'ai désapprouvé ces méthodes, il est vrai, pas très catholiques. »

Je fais la moue. L'explication n'est pas convaincante. Je le provoque :

« Mais alors, que faites-vous ici, au milieu de cette bande de forbans ? Vous figurez bien, en nom propre, parmi les fondateurs de la société Urbaconseil !

— C'est exact. Justement, je voulais m'entretenir avec vous pour éclaircir ce point. Je n'aime pas que l'on parle de moi dans la presse. Surtout quand je ne le mérite pas. Or, je n'ai rien à me reprocher. Je n'ai plus rien à voir avec Urba. Dès que je me suis rendu compte de ce qui s'y passait, je me suis sauvé. J'en ai parlé à François Mitterrand et j'ai immédiatement donné ma démission. Je n'ai pas voulu cautionner des activités passibles des tribunaux.

— C'était quand ?

— Presque aussitôt après la création d'Urbaconseil.

— Je peux l'écrire ?

— Bien sûr ! Vous êtes un homme de devoir, n'est-ce pas ?

— Il me faut des preuves. Je ne publie jamais rien qui ne soit vérité. »

Joignant le geste à la parole, François de Grossouvre ouvre son tiroir de droite. Il en sort un revolver de gros calibre, sous lequel est rangée une chemise jaune. Il en extrait un document et me le donne à lire. Cette pièce atteste qu'il dit vrai...

La conversation glisse maintenant sur les caisses noires du PS et les agissements de sa galaxie de sociétés fictives. Les Urbaconseil, Urbatechnic, Gracco, Valorimo, Mercure international, etc., toutes placées sous l'autorité du GSR, le fameux Groupement des sociétés regroupées (celui qui financera *Globe* et Georges-Marc Benamou en 1988-1989) dont le siège est situé boulevard Haussmann, à Paris. Avec des ramifications partout en France, ce vaste réseau est structurellement rattaché au PS, dont François Mitterrand est le premier secrétaire, jusqu'à son élection à la présidence, en 1981. Je ne cache pas à François de Grossouvre que notre enquête est pratiquement bouclée. J'ajoute que j'ai rassemblé de multiples documents originaux. Ils montrent que, depuis des lustres et en toute impunité, des pourcentages variables (2,5 à 10 % et plus) sont prélevés sur le montant des marchés publics dans les villes, collectivités, groupes publics et ministères dirigés par ses amis socialistes.

Surveillé par notre ami commun, qui assiste à l'entretien et commence à s'inquiéter de la tournure prise par la conversation, j'appuie sur l'accélérateur :

« C'est un racket généralisé. En Sicile, la Mafia n'agit pas autrement. »

À ces mots, François de Grossouvre me regarde sévèrement. Au-dessus de lui, le portrait officiel de François Mitterrand. Et, tout autour de son bureau, les photos de dirigeants historiques du PS, créateurs du système que je dénonce. Après tout, ce n'est pas moi qui ai sollicité ce rendez-vous. Je continue ma charge :

« Votre ami Mitterrand s'est fait élire au nom de la

morale et de la vertu. C'est sur ce terrain-là que je l'attends. Il ne pourra se laver longtemps les mains de tous ces brigandages. J'ai pu établir qu'il fut à l'origine de ces pratiques, après le congrès d'Épinay de 1971 et la création du nouveau Parti socialiste. Ce sont elles qui lui ont permis de financer le PS et son ascension vers le pouvoir. En même temps, il promettait au bon peuple d'assainir les mœurs économiques et financières du pays, de chasser les corrompus, de mettre un terme au règne de l'argent sale. Je déteste les tartufes. J'ose espérer que vous n'êtes pas comme lui.

— Vous, en tout cas, me répond-il suffoqué, vous ne manquez pas de toupet. Vous n'y allez pas avec le dos de la cuillère. C'est tout de même du président dont vous parlez.

— Oui, et alors ? Ça change quoi ? Premier magistrat de France, il n'est pas au-dessus des lois. Avec Urba, il a franchi la ligne jaune. Un jour, il faudra qu'il rende des comptes. Je ne lâcherai pas prise. On ne me fera pas taire.

— Vous êtes bien optimiste. De toute façon vous n'irez pas très loin. À droite, personne ne vous suivra.

— Eh bien, tant mieux. J'ai toujours aimé la solitude. Vous savez, cher Monsieur, je suis né au pays du désert. J'adore les chameaux. Avec eux, j'ai appris les marches lentes et endurantes. »

Gentille, la partie de ping-pong dure une bonne heure. Jamais mon interlocuteur ne se départit de son flegme. Notre joute devient presque un jeu. J'ai comme le sentiment que François de Grossouvre approuve, sans pouvoir le dire, une bonne partie de mes propos. Mais sa fonction l'oblige au devoir de réserve.

De ce premier contact, il reste qu'entre nous le courant a passé. Nous convenons de nous revoir. Ce jour-là, ni lui ni moi ne pouvons bien sûr imaginer que, dans onze ans — grâce à la détermination et au courage d'un simple policier de la brigade financière de Marseille, Antoine Gaudino —, l'affaire Urba, redoutable bombe à retardement, finira par dynamiter le Parti socialiste et lui faire perdre le pouvoir.

*" Pompiers socialistes de l'emploi "*
*et chevaliers d'industrie*

Ma lutte contre les réseaux de la corruption, les faux facturiers, les voleurs de tous calibres enrôlés par les socialistes pour plumer les contribuables et les entreprises françaises, n'est pas une promenade de santé. Afin de pouvoir remonter le plus haut possible, dans l'organisation de filières complexes, toutes liées entre elles par le poing, la rose... et l'argent noir, il me faut nouer des alliances, redoubler de prudence, prendre conseil. Ici, auprès de magistrats intègres ou de banquiers de plus en plus ulcérés par ces pratiques financières barbares, là avec des intellectuels inquiets ou des avocats experts en droit pénal et des affaires.

Membre du barreau de Paris, M<sup>e</sup> Pascal Dewynter est de ceux-ci. Je n'ai pas caché, dans des ouvrages précédemment publiés, lui avoir confié la garde de dossiers sensibles.

En 1990, quand un des grands racketteurs du PS, Josua Giustiniani, me remet, à titre de preuves, quelque *12 000* fausses factures et autres traces écrites des escroqueries qu'il a commises sur tout le territoire et jusque dans les départements d'outre-mer — à la demande des têtes pensantes du PS (nommément citées dans son dossier), la plupart ministres en exercice —, c'est au cabinet de M$^e$ Pascal Dewynter (et à celui de M$^e$ Patrick Gaultier, conseil d'Albin Michel), que je les dépose, à parts égales. Giustiniani me laisse les pièces comptables, les contrats, les talons de chéquiers, les clichés photographiques, la montagne d'originaux en tous genres sur lesquels repose son manuscrit. Dans la collection que je dirige, il publie un livre courageux, *Le Racket politique*, où — en sa qualité de collecteur de fonds occultes pour le compte du PS —, il confesse sans retenue les méfaits dont il s'est rendu coupable, à la demande des hommes politiques qui ont partagé avec lui le produit de ses fraudes.

Le cabinet de M$^e$ Dewynter m'assistera dans plusieurs procès. Contre des ministres : Robert Badinter et Bernard Tapie. Ou encore contre l'un des pionniers des fausses factures socialistes : l'industrieux Hubert Haddad, aujourd'hui repenti et rangé des mauvaises fréquentations.

De tous ces dossiers, je pourrais remplir des centaines de pages. Et d'ailleurs je ne m'en prive pas. Mais, dans ce livre, j'entends insister sur les affaires les plus exemplaires, celles qui resteront dans l'histoire.

30 janvier 1992, 13 h 30 : la 11$^e$ chambre du tribunal correctionnel de Paris juge les agissements d'une brochette de bons Samaritains, comme savent les recruter les camarades socialistes de François

Mitterrand. André Lelouch, Ignace Loviconi, Michel Garcin, Maurice Salles, Jean-Joseph Pailler et Georges Fermon se tiennent comme des anges sur le banc des accusés. D'entrée de jeu, par la bouche de M<sup>e</sup> Pascal Dewynter, un de leurs avocats, les pires diableries sont avouées à la présidente Jacqueline Chevallier. Celle-là même qui, en mai 1994, présidera la cour d'appel chargée de rejuger l'affaire Pechiney, l'un des scandales les plus retentissants des deux septennats de François Mitterrand.

Avocat connu pour son franc parler, Pascal Dewynter défend les intérêts des deux principaux inculpés, André Lelouch et Ignace Loviconi. Sous la prévention de délits d'abus de biens sociaux commis de 1981 au début de 1983, il leur est reproché d'avoir, de mauvaise foi, pillé les biens et les capitaux d'une galaxie de sociétés filiales de la CFDE, la Compagnie française pour le développement des entreprises. Le tout est maintenant de savoir si les prévenus ont agi pour leur propre compte ou celui de tiers. L'accusation est lourde. André Lelouch ? Il est également poursuivi pour « faux et usage en écritures de commerce ». Avec Ignace Loviconi, il lui est imputé d'avoir détourné à Paris et à Angoulême, en mars 1983, une partie de l'actif de la société L. J. Oxford, pour un montant de 2,5 millions de francs. Les deux hommes n'ont pas tenu de comptabilité. Et Ignace Loviconi, P-DG de la CFDE depuis décembre 1981, se voit encore reprocher d'avoir déclaré « sincères et véritables » des souscriptions d'actions qu'il savait fictives. André Lelouch se présente comme un « responsable commercial ». En réalité, il est le « dirigeant de fait » de cette vaste opération de détournement de fonds. L'acte de renvoi du dossier d'instruction ne lui fait aucun cadeau. On y cherche en vain les noms des complices qui, à la direction de l'État, ont permis — si ce n'est ordonné — à tous ces flibustiers d'opérer si longtemps.

Aussi, M$^e$ Dewynter porte le fer dans la plaie :

« La CFDE a notamment financé les campagnes électorales de MM. Jean-Pierre Chevènement, Georges Sarre, Michel Charzat, Jean-Paul Planchou ; elle a payé les affiches, les collages, les meetings, les salles de restaurant réservées pour trois cents militants ; elle a versé près d'un million de francs à M. Jean-Michel Boucheron, député et maire d'Angoulême, par diverses sorties d'espèces ; elle a remis un chèque de 150 000 francs, le 30 avril 1981, à l'ordre du *Matin de Paris*[1] qui, à la fin de la campagne présidentielle, n'avait plus d'argent. »

Le pavé lancé par l'avocat est de taille. Nous voici au cœur de la « révolutionnaire » politique industrielle du pouvoir socialiste de 1981.

La CFDE est créée en décembre 1979 par Lelouch et Loviconi. Cette société anonyme se propose, « avec l'aide des collectivités locales et des établissements financiers, d'opérer le redressement des entreprises en difficulté et d'assurer le maintien de l'emploi ».

---

1. *Le Matin de Paris* : quotidien de gauche, fondé par Claude Perdriel (*Le Nouvel Observateur*) et Jérôme Seydoux (groupe Chargeurs), puis racheté en 1985 par Max Théret, avant de disparaître le 19 janvier 1988.

Objectifs nobles et ambitieux. La première année, seules quelques PME sans envergure entrent dans le giron des apprentis repreneurs. La CFDE est en rodage.

Après mai 1981 et l'accession des socialistes au pouvoir, tout change très vite. En quelques mois, bénéficiant des subsides du Comité interministériel de restructuration industrielle (CIRI), la CFDE « développera une politique de reprise tous azimuts ». L'empire compte rapidement près de 3 600 employés. L'euphorie ne dure pas. En décembre 1982, le résultat tombe... comme le couperet de la guillotine : les pertes dépassent les 74 millions de francs. Un exploit pour ceux qui se présentent alors comme les « pompiers socialistes de l'emploi ».

Socialistes ? Je dirai plutôt, surréalistes.

L'implantation des diverses sociétés du groupe CFDE est, à elle seule, fort éloquente. L'organigramme des filiales compte plus d'une douzaine d'entreprises industrielles, qui ont pour principale caractéristique d'être *toutes* situées dans la circonscription d'éminents élus socialistes. Faisons le tour du propriétaire :

• Les sociétés Mischler, les vêtements de sport Lama, la Compagnie industrielle de l'Est, la Société industrielle et papetière de Novillars (SIPN) sont, dans le Territoire de Belfort et sa région, chez Jean-Pierre Chevènement, l'un des hommes clés du système, dans lequel on retrouve d'ailleurs plusieurs des membres du CERES, son « courant » politique d'alors au PS.

• La papeterie L. J. Oxford et la menuiserie Piget se trouvent respectivement à Angoulême et Jarnac, dans la circonscription du député-maire socialiste d'Angoulême Jean-Michel Boucheron, ex-ministre aujourd'hui en exil doré à Buenos Aires, où il a pu aisément se sauver... comme un voleur, après avoir ruiné les finances de sa ville.

• La SGV, Société générale de vêtements, est à Limoges, la ville du sénateur-maire socialiste Louis Longequeue (mort en 1990) et de son premier adjoint, le député PS et économiste Alain Rodet, qui lui succédera à la mairie.

• Les gants de travail Technique et sécurité sont implantés à Lézignan-Corbières, dans l'Aude, fief du député chevènementiste Pierre Guidoni, préfet, cofondateur du CERES, ami personnel du Premier ministre espagnol, le socialiste Felipe González, ce qui lui vaudra d'être nommé ambassadeur de France à Madrid de 1983 à 1985.

• Les pompes Virax Ledoux et la chaudronnerie GSOI sont en Gironde, département dont le conseil général est présidé par le député socialiste Philippe Madrelle, qui, de 1981 à 1985, s'est adjoint les services de... « 47 » — pas un de moins — attachés de cabinet, au titre de président du conseil régional d'Aquitaine, son autre baronnie.

• Les bottes et chaussures de sécurité Baudou sont à Églisottes, près de Libourne, dans la circonscription du député Gilbert Mitterrand, le fils du président, grâce à l'appui duquel (selon *Le Canard enchaîné* du 19 février 1986) l'argent de l'État — « quelque 60 millions de francs de subventions » — a été pompé, avant que la CFDE ferme boutique.

• Les remorques et les sièges-relax Ad-Hoc sont à Bourgoin, dans l'Isère, chez le député-maire de Vienne Louis Mermaz, alors président de l'Assemblée nationale.

Le tout est complété par une myriade d'autres sociétés, tels les autoradios EAF, les fermetures Vendôme, le bureau d'études Ercoba. Ou les sulfureuses compagnies de transports aériens Transglobe et Altaïr, qui vont servir, plus tard, sous une autre direction, à d'obscures livraisons entre le Moyen-Orient et l'Afrique.

Patron en titre de la CFDE, tout-puissant au PS, Antoine Ignace Loviconi est un personnage haut en couleur. Ce Corse de Sartène a conservé les charmes de la mentalité méditerranéenne. S'il sait marier le sérieux à la fantaisie, il semble préférer celle-ci à la rigueur des comptes. Au Parti socialiste, François Mitterrand a eu tôt fait de remarquer ses compétences exceptionnelles. C'est en 1980 qu'il l'a nommé délégué national à l'économie sociale. Auparavant, il a été, dans le Val-d'Oise, le secrétaire de la section du Parti à Garges-lès-Gonesse, puis trésorier adjoint du PS.

À la CFDE, Loviconi joue les théoriciens, ou plutôt les idéologues. Il faut l'entendre prendre Marx à témoin, pour justifier des opérations dignes des grands chevaliers d'industrie. Il se targue d'une solide expérience du monde des affaires acquise au sein de la société d'HLM La Demeure familiale. Il fait de grands discours sur le volontarisme en matière économique. En ce temps-là, trop de dogmatiques dirigeants du PS ne connaissent rien à la marche des entreprises. Ils sont, en la matière, de dangereux incultes auxquels Antoine Ignace fait forte impression, alors qu'il est lui-même incapable de lire un bilan, de faire la différence entre chiffre d'affaires et bénéfices, caisses des entreprises et porte-monnaies qu'il se charge de remplir.

À la barre de la 11e chambre correctionnelle, Me Dewynter replace cette affaire de banqueroute là où, justement, l'instruction n'a pas voulu que l'on débouche, le terrain politique :

« Il est intéressant de souligner qu'Ignace Loviconi était rapporteur spécial au Parti socialiste pour les entreprises en difficulté. Son parcours politique est en rapport avec les faits soumis au jugement de votre tribunal. Secrétaire fédéral du PS de 1974 à 1980, il est l'un des responsables nationaux de la formation des cadres de ce parti. En 1980, il devient délégué national à l'économie sociale, en même temps que son délégué national aux entreprises en difficulté. De son côté, Jean-Paul Bachy était le secrétaire national aux entreprises. Les diverses correspondances versées par eux au dossier prouvent, effectivement, qu'ils ont été sollicités par des camarades du PS appartenant à différentes fédérations : la Charente, les Deux-Sèvres et l'Ain. »

Dans une lettre du 29 juin 1982, communiquée

au tribunal, l'avocat lit ce court mais déjà édifiant passage :

« Tu trouveras ci-joint deux dossiers que m'a transmis Lionel Jospin. »

À cette époque, Jospin est le premier secrétaire du Parti. C'est lui qui a succédé à François Mitterrand, après son élection à la présidence de la République, le 10 mai 1981.

En date du 2 août 1982, une autre lettre d'Ignace Loviconi à Jean-Pierre Chevènement, ministre de la Recherche et de l'Industrie, est encore plus éclairante sur le véritable objet de la généreuse Compagnie française pour le développement des entreprises. L'affairisme socialiste vit ses heures de gloire :

« Mon cher Jean-Pierre. J'ai recours à toi. La CFDE marche bien, elle rendra bien des services, mais elle achoppe sur les banques qui n'aiment pas par nature notre action. (...) Pascal Lamy [*alors directeur du cabinet de Jacques Delors, ministre des Finances, aujourd'hui promu à la direction générale du Crédit Lyonnais*] essaye de nous aider, mais il n'est pas toujours suivi. Une intervention ponctuelle de ta part pèserait dans les négociations engagées. Je me résous à te la demander après avoir longuement hésité car tu es en charge d'intérêts majeurs. Mais Georges [*Sarre*] et Michel [*Charzat*] m'ont encouragé à le faire sans plus tarder... »

Citées devant le tribunal correctionnel par le plaideur, ces personnalités ne peuvent laisser des juges indifférents. La lecture politique du dossier à laquelle procède l'avocat des collecteurs de fonds du vertueux Parti socialiste suscite, selon l'expression de

Roland-Pierre Paringaux du journal *Le Monde*, « l'embarras du tribunal ».

Énarque, inspecteur des Finances, battu Pascal Lamy fut, de 1979 à 1981, sous la droite, le secrétaire général du CIRI, le Comité interministériel de restructuration industrielle. Organisme public chargé de venir en aide aux « canards boiteux » de l'industrie, le CIRI est le nouveau nom donné à l'ex-CIASI (Comité interministériel pour l'aménagement des structures industrielles), créé en 1974.

Bien avant leur arrivée aux affaires, les socialistes avaient parfaitement compris tout l'intérêt d'investir ce bastion dispensateur de fonds publics, directement rattaché à la direction du Trésor.

Toujours dans l'ombre de Jacques Delors, Pascal Lamy n'est pas n'importe qui. En 1977, ce spécialiste des Meccano financiers se fait la main au siège du PS, comme membre de la commission du contrôle financier du Parti. Il est donc un de ses argentiers. À l'époque des faits révélés par M$^e$ Pascal Dewynter, Pascal Lamy est devenu, au ministère des Finances, le bras droit de son patron, Jacques Delors, lequel partage avec Jean-Pierre Chevènement (en charge de l'Industrie) la tutelle du CIRI... où la dynamique CFDE fait des étincelles.

Agacé par les lâchetés d'une société sous influence, M$^e$ Dewynter demande une vraie justice pour ses clients :

« Ils en ont assez d'être les lampistes ! Ils en ont assez d'être les seuls à devoir payer. Tout ce qu'ils ont fait l'a été sous le couvert des plus hautes autorités de ce pays. »

M<sup>e</sup> Dewynter n'affirme rien qui ne figure dans le dossier du tribunal. Il y a aussi le courrier d'Ignace Loviconi à Pascal Lamy, le 10 août 1982 :

« Jean-Pierre Chevènement m'a reçu...Dans l'immédiat, il faut vivre et il faut considérer que le ministre des Finances et toi avez seuls l'influence auprès des banques... »

Il arrive que les compères de la CFDE reçoivent des missives en provenance des palais nationaux. Et de quels palais ! Le 17 mars 1982, Alain Busnel, chargé de mission pour les entreprises en difficulté auprès du chef du gouvernement, Pierre Mauroy, leur écrit une lettre militante, sur papier à en-tête du « Premier ministre » :

« Chers amis, la prochaine réunion pour la préparation pour le rapport définitif sur le rôle de l'opérateur public aura lieu le 22 mars 1982 à 14 h 30. Nous comptons sur votre présence. Amitiés socialistes. »

Les destinataires de ces missives sont, outre Loviconi et ses collaborateurs, la CFDE, ses filiales et ses sous-traitants. M<sup>e</sup> Dewynter s'exclame :

« Messieurs Loviconi et Lelouch, la CFDE et ses filiales ont été sollicités par les gouvernants socialistes, le ministre des Finances, le ministre du Travail et de l'Emploi, le ministre de l'Industrie, pour reprendre des sociétés en difficulté. »

Quand, en 1981, cette fine équipe se retrouve enfin « aux affaires », celui que l'on ne va pas tarder à surnommer le « Napoléon des faillites » peut donner libre cours à ses ambitions entrepreneuriales. À ses côtés, le sympathique André Lelouch est le roi de la jonglerie financière. Quelques anicroches antérieures avec la justice l'empêchent d'apparaître au grand jour. Il lui est interdit de gérer des sociétés. Aussi est-il l'artiste qui, à la CFDE, tire les ficelles des marionnettes du PS. La trésorerie, les négociations, les cascades de holdings et de sociétés, les acrobaties financières et juridiques... dans ces domaines distrayants, le camarade André Lelouch est un expert. Il entretient également des relations remarquées avec la fine fleur du parti.

À la tête de leur compagnie, Lelouch et Loviconi se présentent comme des industriels désintéressés, des spécialistes du sauvetage des entreprises menacées. Ils essuient les plâtres : ils font du Tapie avant Tapie. D'où le surnom (« les pompiers socialistes de l'emploi ») qu'ils s'attribuent et qu'ils arborent avec fierté, quand ils débarquent dans les ministères et les banques nationalisées. Devant les juges, Antoine Loviconi maintient qu'ils ont agi conformément à l'esprit socialiste... et marxiste.

En effet, explique-t-il, pour comprendre les raisons qui ont suscité l'expérience CFDE, il faut se replacer dans le mouvement d'idées qui a porté la gauche marxiste au pouvoir, en mai 1981, qui voulait mettre en œuvre les options du Programme commun et qui voulait respecter un engagement solennel : « Priorité absolue à l'emploi. »

Jamais les dirigeants du PS ne contesteront ces

affirmations écrites : les alibis moraux des comparses de la CFDE sont là pour permettre aux dispensateurs des fonds publics de leur ouvrir toutes grandes les caisses de l'État. D'autant qu'ils jurent alors, la main sur le cœur, devant le portrait de François Mitterrand, ne pas s'attribuer de dividendes et vouloir revendre leurs entreprises, achetées pour une bouchée de pain, immédiatement après les avoir remises sur pied. Socialistes orthodoxes, ils sont reçus, choyés, admirés, donnés en exemple pour ce beau dévouement... qui rapporte quelque argent aux camarades, lesquels auront beau jeu de s'en laver les mains, en faisant mine de n'avoir même pas soupçonné leurs visées maléfiques.

Modernes croisés de l'économie sociale, les ascètes au grand cœur de la CFDE ont pourtant toutes les peines du monde à cacher une voracité sans limite. Ils s'affublent de titres mirobolants, séjournent dans les auberges et hostelleries les plus raffinées, traitent aux meilleures tables les responsables des syndicats ouvriers, avec lesquels ils sont à tu et à toi, sillonnent leurs terres d'élection (principalement le Sud-Ouest et l'Est) dans de puissantes limousines. Ils ne dédaignent pas non plus la compagnie de dames, dont on finit, tout de même, par remarquer qu'elles ignorent les paroles de l'*Internationale*... C'est la vie de château, avec la bénédiction du parti et aux frais des sociétés sous leur coupe. Les entreprises de la nébuleuse CFDE sont mises à sac, les filiales sont dévorées avec frénésie, les stocks vendus au noir, les machines bradées, les immeubles liquidés, le personnel licencié, les subventions englouties, les créances encaissées et les dettes tout simplement oubliées. Les industriels militants y vont au canon : on pratique le hold-up par virements bancaires ; des fonds sont prélevés dans les filiales sans justificatifs, ou alors avec de très sommaires fausses factures ; les deux dirigeants ouvrent, à leurs noms, des comptes tous azimuts... À chaque fois, les détournements se chiffrent en millions de francs. Ces frasques passent inaperçues, elles n'inquiètent pas les grandes banques nationalisées. Ataraxiques, celles-ci continuent à accorder leur confiance à la CFDE et à lui faire crédit.

Sans plaisanter, Antoine Ignace Loviconi déclare au tribunal avoir été « chargé essentiellement de la stratégie politique » de la société. Quand ils rendront leur jugement, les magistrats du tribunal correctionnel diront pudiquement de cette « stratégie » qu'elle s'est soldée par des « prélèvements non justifiés ». Loviconi a prélevé, dans les trésoreries d'entreprises récupérées par la CFDE, plus de 21 millions de francs. Mais, avec André Lelouch, il entend prouver que les fonds de la CFDE et de ses filiales ont été en partie utilisés pour financer le Parti socialiste. D'ailleurs, dans les conclusions d'un rapport qu'il a remis au procureur de la République d'Angoulême, M^e Jean-Pierre Barthe, syndic de la société L. J. Oxford, filiale de la CFDE, indique :

« L'ensemble de ce lamentable sinistre n'a été possible que par la complicité des pouvoirs publics et malgré la résistance des professionnels. »

Pour M^e Dewynter, les faits sont là et ne peuvent être niés : oui, à la CFDE, il y a eu versement de subventions sèches de l'État, de primes au titre de l'aménagement du territoire, de prêts de l'État camouflés en financements du Crédit national, de capitaux par des grands groupes nationalisés, d'aides à l'exportation, de fonds prêtés avec la caution de collectivités locales, etc.

En clair, l'argent des contribuables a été livré aux piranhas du Parti socialiste.

Les accusations de M^e Dewynter sont accablantes : directeur du cabinet de Jacques Delors, ministre de l'Économie et des Finances, Pascal Lamy est, avec Jacques Delors lui-même et l'autre ministre, Jean-Pierre Chevènement, intervenu auprès du CIRI, des banques nationalisées, du Crédit national, pour que d'importants concours bancaires ou prêts soient accordés à la CFDE ou à ses filiales.

Au passage, on apprend que ces fonds venus du Crédit national étaient remboursables en « vingt-cinq ans, à 0,25 % d'intérêts » ! Qui dit mieux ?

Le juge d'instruction Jean-Pierre Michau — le même qui saura orienter son instruction dans l'affaire Carrefour du développement où la présidence de la République est impliquée —, fait du zèle. Il demande, le 5 juillet 1985, à l'inspecteur de police Claude Magnier « de lui réserver les investigations concernant le Comité interministériel de restructurations industrielles (CIRI) et le Crédit national ». La défense d'Antoine Loviconi et André Lelouch est sévère :

« Il est évident que tout a été mis en œuvre pour que soit retardée, autant que possible, la découverte du financement occulte du Parti socialiste par le truchement de la CFDE et de ses filiales. »

M<sup>e</sup> Dewynter passe en revue la troupe des dignitaires socialistes au service desquels ses clients ont sévi. Un ange passe. Les preuves des pressions exercées, dès le début de l'instruction, sur les magistrats et officiers de police judiciaire en charge de l'affaire, sont indiscutables. Elles apparaissent à la première page du dossier, à la cote D1 ! Il s'agit de la lettre adressée par le procureur de la République de Besançon à son homologue de Paris, le 27 juin 1983. Le procureur J. Vagne y indique :

« Par dépêche du 21 juin 1983 de M. le Garde des Sceaux (direction des affaires criminelles) dont M. le Procureur général à Besançon m'a donné connaissance le 24 juin, il m'a été demandé de prendre sans délai votre attache en vue de mon dessaisissement [*sic*], à votre profit, des faits survenus dans les relations d'affaires entre la Compagnie française de développement des entreprises (CFDE) et la Société industrielle et papetière de Novillars (SIPN). »

Comment ne pas établir un lien entre ce tout premier document — preuve d'une inadmissible, coupable intervention politique ! — et le remarquable empressement de la justice à traîner les pieds, pendant plusieurs années ?

Dès 1983 tout est découvert, mais les naufrageurs de la CFDE ne sont inculpés que le 6 avril 1987, quand la droite revient aux affaires, pendant la

première cohabitation. Et il faut attendre encore cinq
ans, jusqu'en 1992 — dix ans après les faits — pour
qu'ils soient jugés et condamnés... hors la présence de
leurs commanditaires ou complices qui, au pouvoir,
continuent de pérorer sur les accapareurs de fortunes,
les requins de la droite pécheresse, « ces Messieurs du
château », suivant la belle expression du Premier
ministre Pierre Mauroy. Mais on ne peut oublier que
les valeureux « pompiers socialistes de l'emploi »
n'ont sévi que grâce à l'appui du gouvernement
emmené par ce vengeur des pauvres, ce tribun des
banlieues ouvrières, jamais en mal de beaux discours,
pour annoncer aux opprimés, aux victimes des inégalités sociales, des lendemains qui chantent.

Les entreprises du groupe CFDE sont saignées à
blanc par la gestion désastreuse de Loviconi, Lelouch
et leurs associés, tous socialistes. Inévitable, le nau-
frage est total. Entre 1982 et 1984, les filiales de la
CFDE font faillite. Les unes après les autres. Le tout
dernier dépôt de bilan est celui des bottes Baudou,
la société du côté de Libourne, chez Gilbert Mitterrand, où — *in fine* — 100 millions de francs de
subventions sont dilapidés. Il intervient en 1986, à
quelques jours seulement du retour de la droite au
gouvernement. La prudence commande de prendre
les devants.

En 1992, les juges du tribunal correctionnel ne
peuvent que fustiger « l'ampleur des mouvements
financiers ayant existé entre ces sociétés, ainsi
qu'avec des sociétés apparentées ». Comment s'y

retrouver dans les méandres de flux de capitaux qui s'apparentent à des détournements purs et simples ? Le 13 mars 1992, le jugement de la 11e chambre correctionnelle du tribunal de Paris évalue « globalement à 160 millions de francs » les mouvements qui, selon les experts, « n'ont pas correspondu à des échanges commerciaux de biens ou de prestations de services, mais à des transferts de trésorerie ». Les magistrats ne manquent pas de relever « l'absence de tout projet économique cohérent » et le « mépris des intérêts des entreprises concernées ». Mais ils omettent de remarquer l'aveuglement des pouvoirs publics.

Or, il a fallu deux ans avant qu'André Lelouch ne soit contraint de passer la main, en cédant l'ensemble des participations de la CFDE au groupe RFI des frères Sfeir, deux hommes d'affaires libanais, eux aussi proches du pouvoir socialiste, en particulier du lieutenant-colonel Yves Chalier, chef de cabinet du ministre amnistié Christian Nucci et héros malheureux de l'affaire Carrefour du développement, pour laquelle il sera condamné à la prison ferme et incarcéré à la Santé.

Reste à savoir où est passé l'argent de la CFDE. Avec un dossier d'instruction de toute évidence incomplet, le tribunal ne peut percer le mystère. Il semble, toutefois, que la majeure partie de ces fonds n'a pas abouti dans les poches de Loviconi et Lelouch, respectivement condamnés à dix-huit mois et deux ans d'emprisonnement avec sursis.

Légères — au regard des fautes commises —, ces

peines s'expliquent par l'absence, sur le banc des accusés, de ceux qui ont permis, si ce n'est voulu, ces détournements réalisés à une échelle industrielle.

Qui pourrait nier que Loviconi et Lelouch ont « bénéficié de soutiens exceptionnels » ?

Pour Roland-Pierre Paringaux du *Monde*, « responsables socialistes, nouveaux ministres et hauts fonctionnaires s'activent de concert autour de la CFDE tandis que valse l'argent public au service d'intérêts privés ».

Avant même que la CFDE ait rendu l'âme, Lelouch, Loviconi et leurs comparses se sont déjà trouvé un nouvel os à ronger. Le feuilleton des « pompiers socialistes de l'emploi » est loin d'être terminé.

Le 23 décembre 1982, les mêmes créent la société EIP, Engineering investissement et participation, pour regrouper des entreprises du bâtiment. La mécanique est identique. Ce holding reprend des entreprises malades, toutes dans des zones socialistes :

• Les menuiseries Rateau, Sibam SA et Sibam Industrie sont à Cambrai, la ville du député PS Jean Le Garrec.

• La société de gros œuvre Bouvet-Magne est à Dreux, chez le député Françoise Gaspard et l'affaire de chauffage Perrot se trouve à Lucé, près de Chartres, là où le député PS Georges Lemoine fait la pluie et le beau temps.

Le groupe EIP compte vite 1 200 salariés. Comme la CFDE, il amoncelle subventions publiques et interventions des collectivités locales aux mains du PS. À nouveau, les actifs sont réalisés, les stocks bradés, les machines et terrains hypothéqués, le personnel liquidé... Les « pompiers socialistes de l'emploi » font toujours dans le social. Le tout est accompagné d'une gymnastique financière qui donnerait le tournis aux meilleurs valseurs viennois. Les malversations sont gravissimes. Au bout du compte, à l'instar de la CFDE, EIP et toutes ses filiales se retrouvent en liquidation de biens ou judiciaire. À elle seule, la Sibam accuse un passif de 16 millions de francs. Et tout ce beau monde se retrouve au dépôt. Photo de famille... à l'identité judiciaire.

La technique de nos délinquants en col rose est minutieusement démontée dans le réquisitoire du procureur de la République (13 novembre 1986), puis dans le jugement du tribunal correctionnel de Cambrai (29 novembre 1987), qui a été saisi pour « banqueroute ; tenue irrégulière de comptabilité ; abus de biens et crédits sociaux ; faux en écriture de commerce ; direction, administration ou gestion de sociétés malgré interdiction ».

Lelouch et Loviconi sont condamnés et incarcérés pour escroquerie. De même que le troisième larron de l'équipe, Patrick Proux-Delrouyre, ancien attaché de presse du calamiteux député-maire socialiste d'Angoulême Jean-Michel Boucheron. Autre protagoniste, Marc Proux-Delrouyre, le frère aîné de Patrick. Il est, lui aussi, l'un des anciens dirigeants de la CFDE. À l'EIP, il préfère rester dans l'ombre, à la fois conseiller et démarcheur.

Lors du procès, Antoine Loviconi avoue, encore une fois, qu'une partie des fonds détournés a servi à alimenter les caisses du PS. Par l'intermédiaire de l'OFRES, l'Organisation française des relations extérieures et sociales. Authentique société de fausses factures, cette précieuse société est au cœur des activités de racket du PS et de son journal *L'Unité*, dirigé par Claude Estier, le « parrain » historique des collecteurs de fonds du parti.

Le gérant de l'OFRES, Patrick Proux-Delrouyre, a succédé, le 12 mars 1984, à Hubert Haddad, fondateur de l'officine. Retrait stratégique : Haddad continue de diriger l'OFRES, en sous-main.

Figure emblématique du socialisme faux facturier, Hubert Haddad doit son succès, sa prodigieuse ascension à l'intérieur de l'organisation, à l'amitié sans faille de François Mitterrand. Ses liens avec le chef de l'État, il les explique lui-même :

« J'ai monté il y a quinze ans [*en 1972*] une petite agence de publicité. À l'époque, j'avais cherché l'imprimeur le moins cher, il était à Nevers. Un jour, par hasard, j'entends devant moi le patron de l'imprimerie avoir une explication téléphonique orageuse avec François Mitterrand qui n'avait pas payé [*déjà !*] l'impression du *Courrier de la Nièvre* [*son journal électoral*] depuis six mois. Le lendemain, je prenais rendez-vous avec Mitterrand pour lui proposer de m'occuper de son journal. Il a été content, il m'a recommandé à des amis. Tout est parti de là... »

Le système Haddad consiste à collecter de fausses publicités auprès d'entreprises qui veulent travailler avec les collectivités ou administrations contrôlées par les socialistes. Racket et trafic d'influence, par régie publicitaire interposée! François Mitterrand a tout lieu d'être satisfait. Dans tous les secteurs, sur tout le territoire, les camarades font de leur mieux. À Marseille, en chaussures bicolores et Maserati biturbo, Giustiniani — recruté par Michel Pezet et récupéré par Claude Estier — s'inspire du modèle Haddad. Bientôt, avec son « équipe de carnassiers » recrutée dans les tripots de Paris, l'élève Giustiniani va dépasser le maître Haddad.

L'histoire de l'OFRES est digne, elle encore, de figurer dans le *Livre Guinness des records*. Il me faut plusieurs années pour faire le tour des activités d'Haddad. Je le poursuis jusqu'à Tahiti, en février 1987, où il a fini par se sauver, avant de se retirer des voitures. Et de retrouver une vie plus tranquille. Car Haddad a beaucoup donné.

Avant que l'OFRES connaisse, à son tour, les affres du dépôt de bilan et des poursuites judiciaires, toujours pour les mêmes larcins et 20 millions de passif, le financier du PS avoue qu'il doit tout à la personne du président de la République.

Que pourrait-on refuser au chargé de la régie publicitaire du journal de François Mitterrand, premier secrétaire du Parti socialiste?

« C'est pour ça, reconnaît-il, que j'ai eu le contact avec de plus en plus d'élus et notamment des socialistes. En 1977, un grand nombre de mairies sont passées à gauche; et de jeunes maires avides de développer l'information municipale ont fait appel à moi. D'où le développement constant de mon affaire, de 1977 à 1983. »

Pieux mensonge. Je détiens la preuve que, même après son départ officiel de l'OFRES, en mars 1984, Haddad continue à superviser les activités politico-financières de l'officine, au 118, avenue des Champs-Élysées à Paris.

Le parcours de ce mécène du PS le conduit jusqu'à devenir chargé de mission du secrétaire d'État aux DOM-TOM Georges Lemoine, son ami, du 8 septembre 1982 au 12 septembre 1986, grâce auquel il bénéficie d'un « passeport de service ». À Issy-les-Moulineaux, il réalise et dirige *Issy-Actualités*, le journal militant de Jean Glavany, l'un des plus proches collaborateurs du président de la République à l'Élysée. Glavany a choisi Haddad en remplacement de la société dite Service de bureau d'études publicitaires, dont le gérant est mêlé à une sombre affaire de fraudes. Ce qui vaut à ce dernier d'être condamné, le 12 juin 1985, à dix-huit mois de prison avec sursis, pour escroquerie et tentative d'escroquerie. Un rien, dans un champ de ruines.

Enfin, le 27 janvier 1988, Hubert Haddad — l'homme orchestre des journaux nationaux et locaux du Parti socialiste, de ses campagnes électorales —, tombe lamentablement sous le feu des griefs du juge d'instruction Hugues Laporte-Many. Il est inculpé pour « banqueroute, comptabilité fictive, faux en écritures et usage de faux ». Discrètement, sans publicité ni trompettes médiatiques. Hubert Haddad s'en tire sans mal. Il est miraculeusement sauvé par les lois socialistes d'autoamnistie de 1988 et 1990. Car il n'est pas question de demander quelque compte que ce soit à François Mitterrand, Georges Fillioud, Christian Nucci, Michel Delebarre, Louis Mermaz, Jean Poperen, Michel Rocard, Marcel Debarge, Louis Le Pensec et Madame, André Laignel, Claude Estier... On ne peut davantage prendre le risque d'appeler à la barre un homme aussi gravement impliqué que le député-maire d'Angoulême, Jean-Michel Boucheron, voleur patenté, parti depuis, avec le magot, sous les cieux argentins. Pourtant, son témoignage aurait été indispensable. Le naufrageur charentais est un des membres les plus éminents de la bande Haddad. Au même titre que les frères Proux-Delrouyre et l'homme d'affaires socialiste Jean-Claude Remaury, ancien membre du cabinet de Georges Fillioud et associé d'Haddad.

Après l'or et l'argent, le drame ! Le 6 mai 1989, ces trafics finissent dans le sang. Vétéran de la CFDE et de l'EIP, le malheureux Marc Proux-Delrouyre, quarante-huit ans, est découvert mort, lardé de dix coups de couteau, à son domicile de l'avenue Kléber à Paris.

L'enquête a lieu dans le secret le plus absolu. Les assassins courent toujours. On évite de faire savoir — ce que je fais ici — que de la cocaïne a été retrouvée dans son appartement. Et qu'un inspecteur de la

Financière des Renseignements généraux, personnage trouble s'il en est — une autre de mes vieilles
connaissances, ainsi que de François de Grossouvre !
—, policier impliqué dans la plupart des « coups
tordus » des deux septennats de François Mitterrand,
est en planque, le soir du meurtre, avec sa voiture de
fonction, devant l'immeuble de la victime. Il est
interrogé par les enquêteurs. Affaire étouffée...

Éminence grise de son frère Patrick et de la bande,
Marc Proux-Delrouyre a pour le moins d'exotiques
activités. Courant 1989, il est au Panama, pour
mettre en place la société Stormfit. Il se sert d'un
intermédiaire, la fiduciaire genevoise Fidepar. À la
même époque, on le voit beaucoup à Cuba, où il
échafaude des projets dans l'hôtellerie et le tourisme
avec la Cubanacan, l'organisme touristique officiel de
Fidel Castro.

En mars 1991, coup de théâtre. Une partie du
mystère de la vie de Marc Proux-Delrouyre s'éclair-
cit. À l'issue d'une longue enquête, le groupe financier de la section des recherches de la gendarmerie de
Paris arrête Jean-Claude Remaury, le copain des
Proux-Delrouyre et de Jean-Michel Boucheron. Avec
sa société panaméenne, la Bolster (installée 159,
avenue Malakoff à Paris), Remaury a monté un vaste
trafic de faux champagne Moët et Chandon. Tout
part d'une usine d'embouteillage à Cuba, en passant
par l'Afrique du Sud, Saint-Domingue et Juan Bau-
champ, le gendre de l'ex-dictateur du Panama et
trafiquant de drogue, Manuel Noriega. À la lumière
de ce commerce pétillant, on découvre que, avant son

assassinat, Marc Proux-Delrouyre, l'ancien dirigeant de la CFDE, est, avec Remaury, le concepteur de tout ce dispositif frauduleux. Mais aucun lien n'est établi pour autant avec son meurtre, qui reste inexpliqué. Et le restera pour l'éternité...

Au cours de toutes ces années passées à explorer la théorie d'affaires qui ont noirci pour longtemps l'image des socialistes, en France, en Italie, en Espagne, en Grèce et partout où ils gouvernent, je vais de surprise en surprise. Pour relater l'ensemble des dossiers qui me reviennent en mémoire, il me faudrait une encyclopédie. Dans cet ouvrage, j'évoque seulement certaines de celles dont je me suis entretenu avec François de Grossouvre. Et pour lesquelles j'ai souvent bénéficié de ses précieuses indications.

Passons sur les épisodes croquignolesques du dossier Boucheron à Angoulême, celui de Gérard Colé (ex-conseiller de Mitterrand à l'Élysée) dans la gestion délirante de la Française des jeux (la poule aux œufs d'or du Loto), sur les trafics divers et planétaires de Jeanny Lorgeoux, le maire de Romorantin et ex-député PS du Loir-et-Cher, par ailleurs copain de bringue de « Papa m'a dit » (Jean-Christophe Mitterrand), sur les exploits d'Emmanuelli dans Urba, de Roland Dumas et Jacques Pihlan (ex-compère de Colé à l'Élysée) dans l'Association pour le référendum (été 1984), sur la vente d'UTA à Air France (pour renvoyer l'ascenseur, à bon prix, au camarade milliardaire socialiste Jérôme Seydoux, l'ex-financier du journal *Le Matin de Paris*). Passons encore sur la honteuse reprise d'Yves Saint Laurent (Pierre Bergé) par la société nationale Elf-Aquitaine — juste avant le retour de la droite au pouvoir, en 1993 —, et sur les écoutes téléphoniques supervisées, à l'Élysée, par l'actuel P-DG d'EDF, Gilles Ménage, au préjudice, notamment, des journalistes de tous bords enquêtant sur les scandales de l'ère Mitterrand... Je pourrais aussi, très longuement, développer le dossier Orta, du nom de ce dévoué militant socialiste — mouvance Mauroy — devenu promoteur de camps de vacances dans le Sud-Ouest. Résultat : une ardoise de 300 millions de francs, en 1988, sans qu'André Orta n'avoue jamais où est passée la monnaie. Soigneusement « saucissonné », ce dossier à tiroirs n'est toujours pas jugé dans son ensemble.

À l'enterrement des affaires, le temps qui passe est le meilleur allié... des corrompus.

À propos de l'affaire Orta, Henri Emmanuelli, alors président de l'Assemblée nationale, ne s'est pas vanté du cuisant camouflet qu'il a reçu, le 12 janvier 1993, devant la 17e chambre du tribunal correctionnel de Paris, saisie, par lui, d'une plainte en diffamation visant *Le Quotidien de Paris*. Cité comme témoin, je présente au tribunal les preuves qui accablent cet ancien et impudent trésorier du PS. Henri Emmanuelli est débouté. Vertement! Dans son jugement, confirmé en appel, le tribunal relève, comme il se doit, « la lettre de recommandation de M. Orta par M. Emmanuelli, produite aux débats par M. Montaldo ».

Lors de cette longue déposition devant la 17ᵉ chambre correctionnelle, spécialisée dans les affaires de presse, je suis invité à donner un cours de fausses factures, à expliquer aux magistrats dans quelles conditions je suis parvenu à débusquer, d'abord au Parti communiste, puis au Parti socialiste, les organisateurs de ce que je définis comme « un vrai système mafieux ».

Ce jour-là, pour l'édification des juges, j'aurais pu aussi produire, à la barre, le courrier exceptionnel adressé le 20 janvier 1992 au « Conseil de l'Ordre du G∴ O∴ D∴ F∴ [*Grand Orient de France*] » par un franc-maçon ∴ dont je choisis de taire ici le nom, ainsi que celui des ministres, parlementaires, maires et P-DG qu'il met en cause et pour lesquels il réclame des sanctions à la justice de son Ordre.

Voici en quels termes, ce maçon révolté, courageux et juste, refuse d'être plus longtemps associé à des « pseudo-frères » qui ont failli aux devoirs de leur charge... et à l'honneur du Grand Orient. Ce document unique m'a permis de comprendre pourquoi François de Grossouvre me demande un jour, dans son bureau à la présidence de la République, de l'informer sur les réseaux maçonniques au sein du Parti socialiste et de lui dresser la liste des ministres francs-maçons, membres des diverses obédiences. À ce souhait, je réponds par une pirouette :

« Mon cher François, vous êtes tout de même mieux placé que moi pour le savoir. »

Plus tard, je montre à François de Grossouvre cette lettre dont je reproduis ici — symboles maçonniques

compris — les meilleurs passages, ceux que François
a le plus appréciés, m'assurant — contrairement à ce
que certains prétendent encore aujourd'hui — ne pas
être lui-même franc-maçon :

« Mes TT ∴ ILL ∴ FF ∴ [*Mes Très Illustres Frères*].
(...) Le moment est venu pour nous de montrer que
nous sommes capables d'appliquer, sans faiblesse ni
faux-fuyants, l'article II de notre Constitution, à
savoir : " *Elle recommande à ses adeptes la propagande par
l'exemple...* " Comment, en effet, pourrions-nous
prétendre travailler à l'amélioration morale, au per-
fectionnement intellectuel et social de l'humanité,
alors que, par l'exemple de certains d'entre nous, il
semble que nous démontrions le contraire par la
corruption, la prévarication, le trafic d'influence,
toutes choses que nous nous glorifions de combattre.
L'hebdomadaire *Le Point*, dans son numéro 1009 du
18 janvier 1992, nous rappelle fort opportunément à
nos devoirs. Il nous apprend que le " patron " de la
SAGES, société mise en cause par suite de la
perquisition du juge Van Ruymbeke, pourrait être
impliqué dans des opérations délictueuses. Par ailleurs, cet article met en cause très explicitement le
" frère " Reyt, et rappelle à tous ses lecteurs que
Monsieur Reyt est un haut dignitaire du Grand
Orient, qu'il fut, par deux fois, conseiller de l'ordre et
fondateur de la Loge Victor-Schoelcher de L'Haÿ-les-
Roses. Il est dit plus loin : " Les activités professionnelles de Michel Reyt à la tête de la SAGES, son
bureau d'études, n'ont jamais été condamnées ni

critiquées officiellement par la justice des *frères.* "
S'ensuit un véritable déballage des activités de la
" nébuleuse " Reyt et de ses implications avec certains personnages du pouvoir, dont il est clairement
dit qu'ils appartiennent à la maçonnerie. (...) Le ∴
[*frère*] Montesquieu, dans son ouvrage *L'Esprit des lois*
a dit : " C'est une expérience éternelle que tout
homme qui a du pouvoir est porté à en abuser, il va
jusqu'à ce qu'il trouve des limites... " Les limites sont
atteintes ! (...) Les révélations de l'hebdomadaire *Le
Point* constituent, en raison de la gravité des faits
décrits, la trame d'une future mise en cause, pour le
moins désastreuse, de la Maçonnerie toute entière
[*sic*], par ses détracteurs. (...) Au nom de la Franc-
Maçonnerie toute entière, nous n'avons pas le droit
de ne pas réagir vigoureusement, y compris sur le
FORUM [*la place publique*], puisque les agissements de
certains pseudo-frères ont été, par leur faute, portés à
la connaissance du public. Nous devons, par notre
exemple, montrer à l'ensemble de nos concitoyens
qu'à la différence des " hommes politiques " nous ne
sommes pas disposés à amnistier ceux d'entre nous
qui ont failli aux règles de notre Ordre. C'est
pourquoi je saisis le Conseil de l'Ordre et l'invite à se
prononcer sur cette lettre avec le même zèle dont il
fait preuve dans la transmission du texte qu'il a
adopté lors de sa séance plénière du 30 novembre
1991. Je rappelle, s'il en était besoin, que la conclusion de ce texte était : " *Sans jamais confondre son
engagement avec les stratégies du pouvoir, le Conseil de
l'Ordre a décidé exceptionnellement de continuer à s'exprimer*

*en 1992, malgré les échéances électorales, pour rappeler* **nos valeurs** *et* **notre éthique**, y compris par voie de presse. " Eh bien ! que le Conseil de l'Ordre, dans sa très grande sagesse, passe aux actes. Je l'attends ! Je l'exigerai, afin de pouvoir continuer à être fier et heureux d'appartenir à la Franc-Maçonnerie. Veuillez croire mes TT ∴ ILL ∴ F ∴ [*Très Illustres Frères*], à l'expression de mes sentiments frat ∴ [*fraternels*]. »

En post-scriptum, ce franc-maçon offensé cite le frère disparu Pierre Dac :

« Quand les grands de ce monde commettent une faute, ce sont les petits qui paient. »

On ne peut mieux dire ∴ en ce qui concerne les frasques de la première banque française, le Crédit Lyonnais.

Sur le « gang du Lyonnais », qui a permis aux escrocs Robert Maxwell, Giancarlo Parretti et Florio Fiorini de piquer dans la caisse des milliards de francs, les uns et les autres étant célébrés comme des « socialo-capitalistes » exemplaires — ceux grâce auxquels, nous disait-on, les masses laborieuses allaient retrouver l'espoir d'être enfin respectées par des patrons sociaux —, sur ces aigrefins et tous les autres, je consacrerai, en temps voulu, peut-être dans un autre livre, une étude spécifique. Boulevard des Italiens, au siège du Lyonnais, les pillages ont été dévastateurs. Sous le nouveau gouvernement d'Édouard Balladur, et un nouveau P-DG, Jean Peyrelevade, la banque nationalisée en est réduite, au printemps de 1994, au moment où j'écris ces lignes, à faire saisir l'hôtel particulier, les meubles et le paquebot à voiles de son « client » privilégié, le député-ministre-roi déchu de l'Olympique de Marseille et des affaires qu'il a ruinées, je veux parler du dénommé... Bernard Tapie. Pour cette étoile montante du firmament mitterrandien, le Sésame de la réussite est encore une fois vite trouvé. Il lui suffit de séduire le président de la République, en exhibant ses qualités. Le « petit Tapie illustré » figure tout entier dans *Gagner*[1], livre publié sous sa signature en 1986.

Tapie est un champion de la méthode Coué. Tout son système est expliqué dans cet ouvrage. Il n'y fait pas mystère de son passé et de ses aptitudes à transformer le plomb en or. Aux yeux de François Mitterrand, ce don prédispose Bernard Tapie à la direction des affaires du pays : ce sera le ministère de la Ville. François de Grossouvre est scandalisé :

« Le président est complètement fou. Voilà qu'il s'acoquine et s'affiche avec ce Tapie, que même l'un de ses amis [*le professeur Léon Schwartzenberg*] qualifie publiquement de " voyou ". Ah mon petit, tout cela est bien moche ! »

François me lit des passages entiers du livre commis par Tapie :

« Tenez, gardez cet ouvrage. Je vous l'offre. J'ai coché les passages essentiels, ceux où Tapie raconte ses premiers démêlés judiciaires. Comment François

1. Éditions Robert Laffont, Paris.

Mitterrand peut-il admirer ce type et en faire un ministre ? Quel mépris pour la France ! »

Pertinente observation : depuis les années soixante-dix, Bernard Tapie a été plusieurs fois jugé... et amnistié. Pour toutes ces précédentes affaires, toutes aussi scabreuses les unes que les autres, il raconte, dans le chapitre 3 de *Gagner*, sous le titre « Cette arme absolue : l'injustice », comment il est, à chaque fois et depuis le début de sa carrière, la victime innocente d'un honteux harcèlement judiciaire. François de Grossouvre remarque devant nous :

« Les ennuis de Tapie avec la justice ont commencé bien avant son entrée dans le sport et la politique. L'acharnement dont il se plaint n'est que pure invention. »

De fait, Tapie connaît depuis longtemps les super-Sherlock Holmes de la Brigade financière, les interrogatoires serrés de différents témoins. À vingt-cinq ans, il est un anonyme parmi les anonymes, quand il écope d'« une condamnation en première instance à trois mois de prison avec sursis, à la déchéance intégrale de tous ses droits civiques et à l'interdiction à jamais de pouvoir diriger une entreprise » !!!

« Bibi-Fricotin » est une autre fois victime du tribunal correctionnel : « Douze mois de prison avec sursis, dans l'affaire Cœur Assistance », en 1975, « dont les quatre dirigeants ont été condamnés pour publicité mensongère ». Et puis, indique-t-il, « il y a eu relaxe, appel, et amnistie avant même que l'appel soit déposé ».

Tout Tapie est dans ces quelques mots : il dit n'importe quoi, dans un flou volontaire. Ce faisant, il se prévaut — pour se justifier — de condamnations antérieures que ses contradicteurs, eux, n'ont pas le droit d'évoquer, puisqu'elles sont pardonnées et oubliées par la force des lois d'amnistie.

Ainsi, pour accéder à des mandats publics, puis s'y maintenir, un Bernard Tapie — ce que je dis là est vrai pour n'importe quel autre élu — a, seul, la faculté de pouvoir faire état de ses condamnations amnistiées, sans que, de notre côté, nous soyons autorisés à vérifier ses propos, à relater ce qui s'est réellement passé à ce sujet et, éventuellement, à opposer à ses discours, populistes et pleurnichards, la reproduction de ces jugements dont il parle en toute impunité... pour se présenter, toujours, comme la victime de permanentes erreurs judiciaires.

Gageons que, au final des courses, le cas exemplaire de Bernard Tapie permettra à nos juges de faire évoluer la jurisprudence constante, celle qui, pour l'instant, empêche le quatrième pouvoir — la presse et l'édition — d'informer complètement les citoyens électeurs sur la vraie personnalité des hommes qui ne s'appartiennent plus... quand ils briguent un mandat électif (local, national, européen) ou une responsabilité gouvernementale. Sans quoi, le Parlement (et l'immunité qu'il confère) pourrait devenir le refuge de tous les malins en délicatesse avec la justice.

J'ai sous les yeux une lettre à en-tête de Bernard Tapie, adressée le 27 octobre 1982 à la Direction générale des impôts. À l'époque, « Nanard » n'est pas une star. Il est un petit Mickey, connu seulement des ferrailleurs de Bagnolet et Gennevilliers (où j'ai aussi mes entrées), pour avoir déménagé, fin 1979, les dizaines de voitures de luxe et autres babioles entreposées dans les châteaux de l'empereur déchu de Centrafrique, Jean Bedel Bokassa, et s'être illustré dans diverses affaires dignes des frères Rapetout.

Dans cette lettre, sous la référence BT pers./vb/ 291, Tapie écrit au directeur des impôts, au sujet de la vérification de sa situation fiscale personnelle et d'un litige qui l'oppose à la 7e brigade de contrôle de la DNEF, la Direction nationale des enquêtes fiscales. Cette fois, le flamboyant Tapie rase la moquette. Il se fait humble. Pur stratagème. Il lui faut apitoyer l'intransigeante administration des impôts. Dans cette correspondance, il se présente comme une sorte de voyou repenti, qui s'est acheté une conduite et veut prendre un nouveau départ dans la vie :

« Je ne saurai, écrit-il en conclusion, trop insister pour vous dire à quel point je suis affecté par cette situation, alors que pour moi ce contrôle devait tout naturellement éclaircir mon horizon, et me permettre de tourner définitivement une page. C'est en 1977 que j'ai décidé de changer radicalement de vie et, devenant mon propre entrepreneur, de mettre fin à la situation professionnelle et civique dans laquelle j'évoluais antérieurement, et qui ne semblait pas à l'abri de toute critique. »

Saint Bernard, priez pour lui !

Au passage, je remarque qu'entre cette lettre de 1982, conservée dans les archives de la Direction générale des impôts (DGI)... de même que dans les miennes, et les pages 56 et 73 de son livre *Gagner* (en 1986), Tapie change de ton et de version. Ici il est un repenti, là une victime.

Manipulateur d'exception, Bernard Tapie a fait ses classes à l'école de l'embrouille, là où l'on vous apprend à soutirer (au bas mot) 1,3 milliard de francs au Crédit Lyonnais, banque nationalisée, là où l'on vous enseigne l'art de duper vos interlocuteurs, tout en s'attirant l'admiration des foules, par le recours constant à deux armes magiques, le culot et le baratin. Le truc est simple comme bonjour : Tapie ne doit s'embarrasser de rien ; il lui faut tout convoiter ; tout prendre ; continuer de soutenir qu'il est le plus fort ; faire toutes les promesses ; n'en tenir aucune ; prétendre tout et son contraire ; parler le plus possible... pour, à force de déclarations, créer la confusion dans les esprits et pouvoir toujours s'en tirer, à la manière des communistes, inventeurs de cette dialectique diabolique :

« On me veut du mal. Je suis blanc comme neige. Je n'ai jamais rien caché. Tout ce dont on m'accuse, je m'en suis déjà expliqué. On me fait encore un mauvais procès, en me ressortant à chaque fois les mêmes dossiers. On m'en veut parce que je réussis et que je suis le meilleur. »

Grand illusionniste de cette joyeuse fin de siècle, Tapie Bernard est assuré que jamais personne ne pourra le confondre dans un « direct » à la télévision, où il a « studio ouvert ». Il peut tranquillement y faire ses plateaux, sélectionner à sa guise ses contradicteurs, faire caviarder un reportage de vingt-six minutes où il n'apparaît pas à son avantage. Et narguer ensuite le journaliste qui a eu l'impudence de vouloir le présenter tel qu'en lui-même.

À ce propos, j'ai longtemps cherché par quel miracle l'épais bonimenteur Tapie peut exercer une si forte attraction sur l'esprit subtil de François Mitterrand. Comment ce matamore des plateaux de télévision, casseur d'assiettes et de caméras, idole des commandos Casanis de Marseille, fier-à-bras des palais de justice, amnistié du « sommier », rescapé des prétoires et abonné aux erreurs judiciaires depuis le début de sa carrière, comment cet « agité du bocal »... et du ballon rond, est parvenu à s'installer dans le cœur de François Mitterrand, jusqu'à y détrôner des personnages aussi considérables qu'un Élie Wiesel, lui-même pillé (à la tire) par l'ineffable génie du sérail et récidiviste du plagiat littéraire, Jacques Attali ?

Oui, j'ai cherché longtemps... et j'ai enfin trouvé. Point d'argent, entre les deux hommes, ni de communes passions littéraires ou d'attirances intellectuelles. Le secret du couple ? Une amoralité insondable, un challenge permanent, sans vainqueur ni vaincu, dans la pratique du cynisme, une même propension à recourir au mensonge pour parvenir à leurs fins, réduire leurs adversaires, réussir contre eux tous les mauvais coups. Tapie-Mitterrand ? Ces esthètes du gâchis s'entendent comme larrons en foire — l'un à la tête de la France, l'autre dans les sociétés qu'il dépèce et le football qu'il salit — pour savoir qui des deux, pour se maintenir à flot, ira le plus loin dans l'utilisation de l'arnaque politique et de l'escroquerie médiatique. Combien de temps faudra-t-il avant que la France ne se lasse de leur égal péché d'orgueil, leur total mépris du peuple qu'ils prétendent servir, mais qu'ils savent toujours mieux duper, grâce à des stratagèmes qu'ils ne se lassent plus d'exploiter ?

Tapie doit plus à Mitterrand qu'à sa bonne étoile. Que lui serait-il arrivé, que serait-il devenu s'il n'avait bénéficié, depuis tant d'années, des hautes protections de l'Élysée ?

Dans une fiche d'information de sept pages, le 1$^{er}$ août 1984, le directeur général adjoint des impôts J. Roche saisit le secrétaire d'État chargé du Budget, Henri Emmanuelli, et son conseiller technique Mallieu-Lassus. Objet : situation fiscale de la galaxie Bernard Tapie. Un contribuable modèle. Très détaillé, son rapport passe en revue la composition du groupe Tapie, son évolution, les conditions de reprise de plusieurs entreprises pour des sommes symboliques, la situation personnelle de Bernard Tapie au regard de ses propres obligations fiscales. Le service du contrôle et du recouvrement des impôts note que « historiquement, le groupe s'est véritablement développé à compter de fin 1981 et courant 1982 et 1983 » C'est-à-dire après l'arrivée de la gauche au pouvoir.

La chronologie établie par la Direction des impôts lui permet aussi d'affirmer « que le groupe Bernard Tapie, très hétérogène dans ses activités, est de constitution relativement récente ; et qu'en conséquence, sa solidité économique et financière reste à prouver ».

Déjà, dans cette étude de l'été 1984, les agents du fisc redoutent la débandade du groupe Tapie, finalement constatée en 1994. Ils préviennent, sous la plume de leur responsable, J. Roche :

« Cette situation laisse entrevoir la fragilité du groupe, dont les fleurons (Terraillon, Testut, Look) sont toujours soit en règlement judiciaire, soit dans une situation financière précaire. Il n'est pas certain que l'ensemble du groupe résiste à la déconfiture de l'un de ses éléments. »

Il aura donc fallu dix ans et des milliards gaspillés par de grandes banques et des établissements publics (Crédit Lyonnais, AGF, BNP et Worms) pour que cesse cette onéreuse comédie.

Pendant toutes ces années, les dirigeants du fisc n'ont pas été écoutés. Bien plus, leurs ministres de tutelle les ont bloqués, pour protéger Tapie, avec les résultats que l'on sait. Lui n'a fait qu'empocher et dépenser.

Le 1er août 1984, le directeur général adjoint des Impôts conclut, à l'intention de son ministre :

« En outre, il convient de constater que M. Bernard Tapie, nonobstant le contrôle auquel il a été soumis, n'a pas toujours respecté ses obligations fiscales dans les délais normalement impartis aux contribuables : les déclarations au titre des revenus perçus en 1981 et 1982 sont parvenues au service en septembre 1982 et décembre 1983 après l'envoi de deux mises en demeure. De plus, l'examen des déclarations déposées fait apparaître certaines incohérences eu égard notamment au train de vie du contribuable et à l'activité qu'il développe dans plusieurs sociétés. En outre, ses revenus sont intégralement déclarés dans la catégorie des bénéfices industriels et commerciaux comme provenant de la répartition des résultats d'une société en nom collectif, alors que la holding du groupe avait la forme anonyme jusqu'en juillet 1982. L'ensemble de ces éléments, incohérences au niveau des déclarations de M. Tapie, opérations financières contestables de sociétés, justifie qu'une vérification fiscale approfondie soit envisagée, intégrant outre l'intervention de la Direction des vérifications nationales et internationales, dont les investigations ont déjà commencé dans la holding et sont programmées dans la SFAS [*la Société française d'alimentation saine, principale entreprise des magasins diététiques La Vie claire*], l'action de la Direction nationale d'enquêtes fiscales pour la recherche de renseignements et celle de la Direction nationale des vérifications de situation fiscale pour l'examen des revenus perçus par M. Bernard Tapie et sa concubine, ainsi qu'éventuellement ceux de ses proches collaborateurs. Ces opérations devraient être engagées au début de 1985, sauf avis contraire du ministre. »

Le ministre ? Si Henri Emmanuelli est au Budget, Pierre Bérégovoy est son supérieur, à l'Économie et

aux Finances. Laurent Fabius est Premier ministre...
et Matignon suit le dossier.

Au ministère du Budget, on suggère d'attendre.
C'est ce qui ressort explicitement de la « Note pour
Monsieur Saint-Geours » rédigée, une semaine plus
tard, le 7 août 1984, par Alain Font, proche collaborateur du secrétaire d'État Henri Emmanuelli.

Programmée, l'ascension de Bernard Tapie ne doit
pas être entravée par de vulgaires curiosités fiscales.

Ainsi se fabriquent les impunités, dans des courriers officiels... qui valent aux journalistes et aux
éditeurs de se faire condamner, quand ils les publient.
Risque que je prends volontiers en reproduisant
fidèlement ce qui suit, car Bernard Tapie est aujour-
d'hui un homme public, investi de mandats publics,
que François Mitterrand reçoit à l'Élysée et dont il
parle dans ses discours officiels, pour vanter ses
qualités. Avant et après avoir été « mis en examen ».

Voici comment le cabinet d'Henri Emmanuelli
oppose à la DGI une fin de non-recevoir, sans oublier
d'ouvrir le parapluie cher à Laurent Fabius, en
suggérant de mettre « Matignon » au parfum :

« Il est évident que M. Tapie et son " look "
appellent des suspicions de la part d'administrations
rigoureuses comme la DGI. Toutefois, je suis scepti-
que sur l'appréciation portée par le SCR [*Service du
contrôle et du recouvrement*] sur la " surface " du groupe
et sa solidité. La note adressée laisse penser que le
groupe BT [*Bernard Tapie*] est une coquille vide. Je
n'en suis pas aussi sûr. Testut, Terraillon, Look,
Tranchant Électronique, sont des sociétés qui tour-

nent [*sic*]. Par ailleurs, il est vrai que le comportement fiscal de M. Tapie a été critiquable et que les
déclarations 1981 et 1982 ont été déposées avec retard
en 1983. Cela dit, M. Tapie s'était engagé à régulari-
ser sa situation à l'occasion du règlement de ses
contrôles antérieurs intervenus fin 1983. Il a donc
respecté son engagement. Je me demande s'il est
opportun d'engager à nouveau des contrôles alors
que l'intéressé a été déjà contrôlé à deux reprises pour
l'ensemble de la période 1973 à 1979. Je suis plutôt
enclin à patienter jusqu'à fin 1986 pour juger à ce
moment du respect des engagements de moralité
fiscale que M. Tapie a pris en 1984 et aviser en
conséquence. Je suggère d'en informer Matignon. »

Épargné ces premières fois, Tapie le sera de
nouveau les années suivantes. Je ne développerai pas
ici le contenu du contrôle fiscal subi par la société La
Vie claire, laquelle dut supporter des frais relatifs aux
plaisirs nautiques du héros de François Mitterrand,
acquéreur d'un voilier de milliardaire, le *Phocéa*,
largement au-dessus de ses moyens et payé avec
l'argent des autres, à coups de crédits (lyonnais) et
d'abus de biens.

Repreneur éphémère de La Vie claire, l'homme
d'affaires Pierre Botton, gendre du député-maire de
Lyon Michel Noir, a eu le tort de découvrir tous les
éléments du contrôle fiscal de la chaîne de magasins
diététiques... et l'avis de redressement (provisoire)
signifié à cette société. Il lui appartient de rendre
publiques des pièces qui, normalement, auraient dû

obliger le ministre socialiste du Budget à saisir la justice pour d'éventuelles poursuites. Ce qui n'a pas été fait.

Homme de renseignement à l'Élysée, François de Grossouvre connaît, aussi bien que nous, l'éclatant curriculum vitae du chouchou de François Mitterrand. Quand Tapie est nommé ministre, en avril 1992, il en est devant moi tout marri :

« On n'accepte pas n'importe qui à la table du Conseil des ministres, là où se prennent les décisions les plus secrètes. Avant d'appeler qui que ce soit au gouvernement, une enquête serrée doit être faite. Je ne comprends pas comment François Mitterrand et Pierre Bérégovoy, parfaitement informés, puisqu'ils ont accès aux bulletins du casier judiciaire, ont pris le risque d'introduire un aventurier au sommet de l'État. »

*« Vice-président »*
*et affairiste à l'Élysée*

13 décembre 1989, avenue Hoche à Paris. Rédacteur en chef adjoint du service économique de l'hebdomadaire *L'Express*, Éric Dadier apprend qu'à Wall Street, la SEC, Securities and Exchange Commission, enquête sur le rachat de la société d'emballage American National Can-Triangle par le groupe français Pechiney. Le gendarme des marchés financiers américains vient de saisir, à Paris, la Commission des opérations de bourse (COB) d'une demande d'entraide.

L'affaire Pechiney est lancée : en peu de jours, elle devient le plus révélateur des scandales qui ont jeté une lumière trouble sur les deux mandats de François Mitterrand.

Pour la première fois, le président de la République est directement visé. Roger-Patrice Pelat, son meilleur ami (avec François de Grossouvre), est en première ligne. Tout d'un coup, les beaux discours du chef de l'État sur « l'argent sale, l'argent facile, l'argent qui tue » lui reviennent au visage comme un boomerang. Violemment. Car le dossier Pechiney révèle l'existence d'un puissant réseau politico-financier dans les hautes sphères de l'État.

Roger-Patrice Pelat, « Monsieur le vice-président », a empoché illégalement une plus-value boursière d'au moins 11,38 millions de francs, lors de l'OPA de Pechiney sur Triangle. Pelat, sa femme, ses enfants et sa compagne ont raflé des titres depuis la banque Hottinguer à Paris. Le copain de Mitterrand a aussi utilisé son réseau dans les paradis fiscaux, via le Panama et la fiduciaire zurichoise Experta Treuhand, dont les trois associés — les financiers Martial Frêne, Pierre-Nicolas Rossier et Walter Sommer — sont ses prête-noms dans Arfina, sa société au Liechtenstein. Walter Sommer est par ailleurs le représentant d'Arfina au conseil d'administration de Vibrachoc, l'ancienne société de Pelat, rachetée par l'État, via Alsthom, en juillet 1982. Autre scandale d'État, où François Mitterrand est nommément impliqué.

Ainsi, pour quelques millions de plus, les copains de Mitterrand n'ont pas hésité à s'en aller boursicoter hors frontières, en recourant à la sempiternelle filière des paradis fiscaux. Comme les narco-trafiquants et les émirs du pétrole.

À la présidence de la République, François Mitterrand va tout nier, faire front, refuser de reconnaître sa propre responsabilité. Et pourtant, Pelat a bénéficié d'une information privilégiée.

Du côté de l'Élysée, Matignon ou des Finances, seuls au courant, il a reçu le tuyau qui lui a permis ensuite d'acheter, à la Bourse de New York, juste avant l'OPA, de gros paquets d'actions Triangle. Autre spéculateur bien informé : son ami Max Théret, financier patenté du Parti socialiste qui, comme lui, a financé *Le Matin de Paris*, le quotidien de la gauche militante.

Alain Boublil, le directeur de cabinet du ministre des Finances Pierre Bérégovoy, fait une victime expiatoire toute trouvée : il n'a acheté aucune action Triangle et n'est pas accusé d'enrichissement personnel. Mais, désagréable, hautain, il s'enferre dans une version angélique qu'il est facile de démonter. Comme d'habitude, à la place que Mitterrand et Bérégovoy lui ont donnée, il a tout supervisé. De plus, il est un intime de Samir Traboulsi. Ce riche Libanais a légalement tiré la plus grosse commission d'intermédiaire de sa carrière en organisant, grâce à son réseau d'amis au pouvoir (dont Boublil et Bérégovoy), la transaction de 6 milliards de francs entre Pechiney et Triangle.

Traboulsi offre, lui aussi, toutes les caractéristiques du bouc émissaire : nouveau riche, orgueilleux, pas courageux, bon négociateur mais mauvais calculateur, il tombe dans le piège des petits arrangements que la microcosmique société de connivence parisienne sait concocter pour se jouer des importuns et des curiosités judiciaires. Pelat (avant sa mort, le 7 mars 1989), Théret, Boublil et Traboulsi sont inculpés. Tous protestent de leur innocence. Mais ils se gardent d'éclairer la justice sur l'aspect le plus mystérieux du dossier : qui a donc informé les initiés et le premier d'entre eux, Roger-Patrice Pelat ?

« Pas moi, jure Traboulsi dont Pelat est aussi l'ami.

— Ni moi », proteste Boublil.

Théret indispose la justice en prétendant d'abord, contre toute évidence, être celui qui a initié Pelat. Plus tard, il finit par reconnaître — devant la cour d'appel de Paris, en mai 1994 —, que c'est bien Pelat qui l'a mis sur ce bon coup. Théret a longtemps menti pour protéger son copain... et empêcher que Mitterrand ne soit soupçonné. S'il avait dit la vérité pendant l'instruction, la physionomie de l'affaire aurait changé, la justice étant obligée de rechercher sérieusement les vrais « ripoux » vendeurs des secrets de l'État.

Maladroits pendant l'instruction — qu'il faut empêcher d'aboutir —, les prévenus jouent le rôle que l'on attend d'eux. Ils respectent la loi du silence, se croient protégés par leurs amis au gouvernement, ceux dont ils refusent de livrer les noms, qu'ils ne citent même pas comme témoins — François Mitterrand et Pierre Bérégovoy —, et qui ont permis à Pelat de frauder. En lui donnant accès aux lieux où tout se décide dans le plus grand secret.

Traboulsi connaît le Tout-Paris. Place des États-Unis, ses appartements sont somptueux. L'homme sait être sympathique. Il a du goût et sa collection d'impressionnistes est magnifique. Un jour, il se flatte devant moi — orientale satisfaction ! — d'avoir surclassé la fortune du Saoudien Akram Ojjeh qui, avec le milliardaire déchu Adnan Khashoggi, faisait la pluie et le beau temps sur les marchés d'armes avec le Moyen-Orient. Traboulsi est aussi un intime de Jack Lang, le préposé aux décorations de François Mitterrand. Le sémillant ministre de la Culture lui a décerné, en 1986, l'ordre des Arts et des Lettres pour son action de mécène. Avant que Traboulsi ne reçoive en grande pompe, des mains de Pierre Bérégovoy, dans les salons du ministère des Finances, le ruban rouge de la Légion d'honneur. La cérémonie a lieu le 3 octobre 1988, peu avant l'OPA de Pechiney sur Triangle, le 21 novembre. Roger-Patrice Pelat et Alain Boublil sont présents. Le frère du président, Robert Mitterrand, prononce le discours d'usage. Il y a là la fine fleur du « premier cercle » élyséen. Les Lang sont arrivés avec Pierre Bergé, futur compagnon de promenade du président, après la mort de Pelat. Le P-DG de *Canal Plus*, André Rousselet, golfeur préféré de Mitterrand, côtoie Georges Pébereau, l'ancien P-DG de la CGE, dont on ignore alors qu'il est le « raider en chef » de l'agression lancée, depuis le début de l'été 1988, contre la Société Générale, scandale encore plus grand que l'affaire Pechiney. Invité surprise de la petite sauterie : le financier libano-helvétique Charbel Ghanem, patron de la société Socofinance de Genève, bientôt lui aussi inculpé pour avoir acheté, dès le 18 août 1988, des actions Triangle, via la Suisse et les Caraïbes.

Le 13 novembre 1988, nouvelle réception. Les Bérégovoy reçoivent leurs plus chers amis à l'occasion de leur quarantième anniversaire de mariage.

Deux jours avant les gros achats des « initiés », dont ceux des Pelat, présents à la table du ministre des Finances. Boublil et Traboulsi sont bien sûr de la fête. On se congratule, on parle beaucoup... et on danse le tango. À Genève et Anguilla, les ordres d'achat partent en rafales. Du jamais vu, à ce niveau gouvernemental.

Dans son petit bureau du Palais de justice de Paris, le juge d'instruction Édith Boizette dose son ardeur. Elle bride soigneusement sa curiosité. Comme si elle redoutait de découvrir le pire. Il faudra attendre quatre ans une autre instruction, un autre juge, dans une autre ville, pour que le pot aux roses soit officiellement découvert. Je dis « officiellement », car l'essentiel de ce qui figure dans les cinquante-neuf pages du rapport n° 92/031 du juge Thierry Jean-Pierre du Mans, remis le 17 décembre 1993 au procureur de la République d'Angers, nous est connu depuis l'origine de l'affaire.

Le mérite de cette « Ordonnance de soit-communiqué pour faits nouveaux » est de décrire au chef du Parquet, juge de l'opportunité des poursuites, tous les mécanismes du réseau de corruption, d'extorsion de fonds qu'anime à l'Élysée Roger-Patrice Pelat. Et le juge Jean-Pierre, pour la première fois dans une communication officielle, fournit le nom du principal complice de Pelat : François Mitterrand soi-même.

Dans un tout autre État, l'exposé de ces faits aurait provoqué débats au Parlement, campagnes de presse et d'opinion, poursuites judiciaires immédiates, le chef de l'État et ses collaborateurs étant sommés de rendre des comptes. En France, un coupable consensus va permettre au président Mitterrand de traiter par un mépris souverain la révélation de ses propres turpitudes.

Lorsqu'il me reçoit pour la dernière fois dans son appartement du quai Branly, le 22 mars 1994, François de Grossouvre est profondément troublé :

« Cette affaire est épouvantable. Elle confirme tout ce que je vous ai dit depuis tant d'années. Mais le président n'est plus vraiment inquiet. Maintenant, il s'en fout complètement. Il n'a peur de rien ni de personne. »

Le contenu du rapport Jean-Pierre a bouleversé François de Grossouvre. Avant même sa publication presque intégrale, dans l'hebdomadaire *Le Point* du 8 janvier 1994, il pressent la gravité de ses conclusions. Et pour cause. Voilà près de douze ans que nous nous entretenons ensemble des dérives affairistes de l'entourage de François Mitterrand.

François de Grossouvre est le premier à me parler de Roger-Patrice Pelat, de ses sociétés commerciales, de son efficace entregent, de ses fils, de l'indigne passivité du chef de l'État parfaitement informé des trafics de celui que tout le monde à l'Élysée appelle « Monsieur le vice-président », jusqu'à sa mort subite, le 7 mars 1989, en plein scandale Pechiney, à l'Hôpital américain de Neuilly.

La trace des craintes de François de Grossouvre, de sa colère ancienne à l'égard du chef de l'État et des mauvaises mœurs en cours à l'Élysée, figure déjà dans *Le Piège de Wall Street*, le livre des journalistes Gilles Sengès et François Labrouillère publié en septembre 1989 dans la collection que je dirige aux éditions Albin Michel. Dans la préface de cet ouvrage, je préviens le lecteur que je m'y implique personnellement. Je veux indiquer par là qu'à la courageuse enquête de Sengès et Labrouillère sur l'affaire Pechiney, j'ajoute les témoignages que j'ai recueillis et qui permettent d'illustrer l'affairisme d'un régime volontiers moralisateur.

Au cours de cette période, mon ami Labrouillère, du *Quotidien de Paris*, est admis, à son tour, dans le petit cercle des confidents du quai Branly. Ces entretiens vont nous permettre, sans risque d'être démentis — ce qui d'ailleurs ne se produit pas —, d'affirmer dans *Le Piège de Wall Street* (pages 173 et 174), que François de Grossouvre a depuis longtemps averti le président de la République des libertés prises par Roger-Patrice Pelat au regard de la loi.

Sous le titre « Monsieur le vice-président », nous donnons alors de l'étrange relation qui s'est nouée entre Pelat, Grossouvre et Mitterrand, une photographie annonciatrice du drame final. En voici quelques extraits :

« Dans son petit bureau de l'Élysée, le docteur François Durand de Grossouvre est atterré. Vieux complice du président de la République il est l'un des rares, avec Roger-Patrice Pelat, qui soit admis à partager son intimité. L'homme est secret, affable, fidèle jusqu'à entretenir à l'égard du chef de l'État un sentiment paternel. Mitterrand, Pelat et lui sont de la même génération. Quelque chose d'indéfinissable les rassemble tout en ne cessant de les opposer. Mitterrand adore Pelat qui supporte Grossouvre, lequel se méfie de Pelat qui partage avec lui les mêmes amours : Mitterrand, la chasse, la bonne chère, les personnes bien mises, les femmes élégantes, les belles intelligences et aussi la même méfiance à l'égard d'une gauche qu'ils servent pourtant loyalement sans y appartenir, puisqu'ils sont tous deux, au fond d'eux-mêmes, de la droite bien-pensante... et non militante. Étrange équipage! À l'origine, Mitterrand est de droite et il est, aujourd'hui, le chef de la gauche ; Pelat est un communiste devenu un conservateur qui n'a pas oublié son passé ; et Grossouvre n'a quitté la droite que pour sacrifier aux apparences et consacrer le reste de sa vie au service d'un grand homme, son illustre ami qu'il admire et vouvoie, mais que Pelat tutoie. Lui est le confident, et Grossouvre la conscience du président. Il est inquiet. Ses yeux sont rougis. Autant par la fatigue que par la peine. Le nom de Pelat vient d'apparaître à la " une " des journaux. Voilà plusieurs années qu'il pressent l'incident, pour ne pas dire le scandale. Combien de fois n'a-t-il pas prévenu le président de ce qui se disait dans Paris et les capitales étrangères à propos de Roger-Patrice Pelat et de ses imprudences ? »

Quand, à la fin de l'été 1989, ces lignes paraissent, Pelat est mort depuis six mois. Le 10 mars, François Mitterrand a présidé ses obsèques, à La Ferté-Saint-Aubin, au sud d'Orléans. Avant le décès de son vieux

compagnon, le président s'est invité à l'émission *7
sur 7* d'Anne Sinclair, sur *TF1*, le 12 février 1989.
Au lieu des 55 minutes prévues, son numéro
d'acteur dure 1 heure 50. Un record ! Cette intervention le fait entrer dans l'histoire : jamais, avant
lui, en France, un chef de l'État n'a ressenti le
besoin de s'expliquer sur ses relations privées avec
un homme directement impliqué dans l'utilisation,
à des fins lucratives, d'une information financière
et confidentielle obtenue auprès de ses amis au
·pouvoir.

Les éléments que nous avons collectés accablent
Pelat, Mitterrand, son ministre des Finances Pierre
Bérégovoy, leurs proches collaborateurs, leur
entourage... Pour l'heure, nous nous contentons de
débroussailler le dossier Pechiney. Additionnés, les
documents et témoignages que nous avons rassem-
blés constituent un faisceau de présomptions précises, graves et concordantes. Il en ressort que
Pelat n'a pu agir, bâtir sa considérable fortune,
tirer en parfaite illégalité d'énormes profits et plus-
values, sans l'aide et la protection de son ami
François Mitterrand, président de la République.

De tout cela, le juge d'instruction et le procureur de la République se moquent éperdument.
On préfère s'intéresser à la piétaille : le commode
« fusible » Alain Boublil ; l'ami libanais Samir Traboulsi, autre suspect idéal ; le vieux militant
« socialo-capitaliste » Max Théret, menteur de service ; quelques golden-boys ; une escouade de

financiers beyrouthains réfugiés en Suisse et dans les Caraïbes... où l'on évite de trop aller chercher.

À Paris, le juge Édith Boizette met quatre ans pour boucler l'instruction du dossier Pechiney. Mais elle ne trouve pas le temps de procéder à l'examen des comptes bancaires du principal suspect, Roger-Patrice Pelat. Elle ne s'intéresse pas au ministre des Finances de l'époque, Pierre Bérégovoy. Ni surtout au président François Mitterrand. Or, l'un et l'autre — le juge Thierry Jean-Pierre le découvre sans peine, quatre ans après — ont entretenu des rapports d'argent avec Roger-Patrice Pelat. De plus, Mme Boizette m'a longuement entendu dans son cabinet : Mitterrand et Bérégovoy sont cités dans son dossier. Ils y apparaissent, au moins, comme des témoins essentiels. Sans leurs dépositions, l'affaire ne peut être équitablement jugée. Je l'ai appris de mon père : quand la politique entre dans le prétoire la justice en sort.

Je rappelle que, depuis mai 1981, depuis ce lointain après-midi de printemps où, au coude à coude avec Pelat, Mitterrand remonte la rue Soufflot, une rose à la main, pour aller la déposer au Panthéon sur la tombe de Jaurès, les deux vieux camarades sont devenus inséparables. Les photographes peuvent les surprendre en promenade dans Paris. Ils sont remarqués ensemble dans des cérémonies à l'Élysée et lors de voyages officiels...

François de Grossouvre n'invente rien quand il s'inquiète des mauvais échos sur Pelat qui lui reviennent des capitales étrangères, où il compte nombre de correspondants et amis. Il a conscience des dommages provoqués par certaines initiatives intempestives de « Monsieur le vice-président ». Car, pour exemplaire qu'elle soit, l'affaire Pechiney n'est que peccadille au regard de tout le reste.

Le système Pelat ? Il ne se résume pas à des coups de bourse et à l'utilisation frauduleuse de tuyaux glanés dans les couloirs de l'Élysée, de Matignon ou des Finances. Officiellement rangé des affaires, Pelat est en réalité très actif. Grâce à Grossouvre, je sais — depuis 1982-1983 — qu'il contrôle plusieurs sociétés. Mitterrand l'a aussi fait nommer administrateur de la compagnie nationale Air France. Ce qui lui permet de sillonner le monde, en première classe, sans bourse délier. Chez ces gens, il n'est pas de petits profits.

À ce dispositif de tout premier ordre — avions et hélicoptères de l'État, palais nationaux, chasses présidentielles... —, s'ajoutent notamment les discrets bureaux de la société Euroéquipement, avenue Charles-de-Gaulle, à Neuilly. Pelat y trône devant des maquettes d'avions de chasse et de missiles.

Il est un influent commis voyageur. Dans les milieux financiers et industriels — où il est devenu un point de passage imposé —, on se répète qu'il faut faire appel à lui, si l'on veut avoir quelque chance de décrocher certains contrats. Le juge Jean-Pierre en fait la démonstration, quand il découvre, entre autres vilenies, le pot-de-vin de 25 millions de francs exigé par Pelat en échange de son intervention pour la construction d'un complexe hôtelier en Corée du Nord.

En matière de « relationnel », comme disent les faux facturiers dans leur jargon châtié, Roger-Patrice Pelat n'est pas un profane. Déjà, au tout début du premier septennat de François Mitterrand, nous trouvons trace d'une rocambolesque expédition indienne, dont il est la vedette. De ce dossier — que nous gardions en réserve et que j'évoque pour la première fois —, je me suis longuement entretenu avec François de Grossouvre, en présence de François Labrouillère. Je me contente de survoler les épisodes d'une affaire relatée dans un rapport de quatre pages, dont Grossouvre, Labrouillère et moi-même détenons une copie.

Il montre que, dès 1982, François Mitterrand tolère, au Château, de bien curieux usages. À moins que personne n'ait alors songé ou osé le prévenir, ce qui, après tout, est possible. Mais alors, que fait la police ? Les Renseignements généraux et les services secrets — DST et DGSE — ont justement pour mission de rapporter au pouvoir politique rumeurs et chuchotements, tout ce qui se dit et se fait. Ils sont là pour récolter les informations touchant aux intérêts supérieurs de la nation, y compris celles sur le chef de l'État et ses proches.

New Delhi, début de 1989 : en poste en Inde, un ambassadeur occidental reçoit à dîner. L'un de ses invités, ancien membre du gouvernement du Premier ministre Indira Gandhi, confie à ses voisins de table :

« Maintenant que nous avons eu à nouveau la visite du président français et qu'il nous offre à nouveau ses centrales et ses usines, je suppose que nous allons revoir (...) le fameux Monsieur Pelat. »

L'ancien ministre indien emploie le mot anglais « *middleman* » — il veut dire intermédiaire —, qui ne laisse aucun doute sur le sens des démarches qu'il prête à Pelat. Son épouse lui signale la présence d'un convive français, à la table voisine. La conversation tourne court. Mais il est trop tard. Le nom de Pelat n'est pas tombé dans l'oreille d'un sourd. Enquête faite, d'autres Indiens se chargent de renseigner plus précisément l'hôte de ce brillant repas. Voilà comment, parfois, les diplomates glanent des secrets d'État, entre la poire et le fromage.

Finalement rapportée à Paris, l'histoire de l'intervention (avortée) de Pelat en Inde remonte à l'été de 1982.

Indira Gandhi a fait parvenir à Paris, par un de ses amis, ancien ministre du général de Gaulle, le message suivant : le gouvernement indien est disposé à confier la construction de grands ouvrages et la fourniture d'usines clés en main à des entreprises françaises pour peu que Paris assure en retour, à l'Inde, l'approvisionnement en uranium enrichi de la centrale nucléaire de Tarapur. Elle est alors en panne, à cause d'un différend entre New Delhi et l'Agence internationale de l'énergie atomique, chargée du contrôle de l'utilisation des combustibles nucléaires, à Vienne. Dans ce courrier, le Premier ministre indien précise que ces marchés pourraient être conclus, de gré à gré, entre la France et l'Inde. Ils devraient porter sur : deux centrales thermiques ; le nouveau port de Bombay à Nava-Shiva, un complexe pétrochimique en Uttar Pradesh, alimenté par un gazoduc en provenance de la zone maritime du Bombay Hioh ; un port charbonnier au sud de Calcutta ; une fabrique de vaccins, pour laquelle Indira Gandhi propose de créer une Fondation portant le nom de François Mitterrand. En échange, le Premier ministre de l'Inde demande une déclaration publique, irréversible, du gouvernement français, pour la livraison de l'uranium dont son pays a besoin.

Par le même canal que celui utilisé par Indira Gandhi, la France acquiesce sans tarder. Le montant des marchés offerts par l'Inde se situerait entre 7 et 9 milliards de dollars.

Jusqu'à la fin du mois de novembre 1982, tout se passe normalement. Puis, à cette date, le président Mitterrand profite de son voyage officiel en Inde pour annoncer solennellement que la France a décidé de lui livrer le combustible nucléaire dont elle manque pour faire tourner la centrale de Tarapur. Et, comme prévu dans des conversations antérieures — elles ont eu lieu à Paris, avec une délégation indienne —, un groupement d'entreprises étatiques et privées est constitué. Il prend corps après le voyage officiel du président Mitterrand et rassemble des firmes indiennes et françaises. Son rôle ? Préparer les offres et les négocier avec les autorités de New Delhi. Ainsi pense-t-on que les choses vont suivre leur cours, pour le plus grand bien des économies indienne et française.

Vaines espérances! Car, peu féru des usages diplomatiques, Pelat prend sur lui de se faire recevoir, dans les semaines qui suivent le voyage en Inde, par un ministre délégué d'Indira Gandhi. Il se présente comme un homme de confiance du chef de l'État français. Ses interlocuteurs ne peuvent douter de sa parole. Pelat leur donne les assurances d'usage, assorties d'un présent. La France reste polie. Au porteur de telles civilités, Mme Gandhi ne peut refuser audience. Mais, dans la foulée, Pelat aurait tenu au ministre indien délégué des propos un peu trop terre à terre, en lui exposant que, pour ces marchés, des commissions seraient les bienvenues afin de mieux sceller ce nouvel élan de la coopération économique franco-indienne. En résumé, Pelat, en solo, sans rien dire à personne, de sa propre initiative, tente d'obtenir sa part du gâteau. On parle de ... millions de dollars. Époustouflante, sa démarche provoque une demande d'explications, d'autant plus embarrassée que, à Paris, le Quai d'Orsay n'est au courant de rien.... S'agirait-il d'un canular? Pas de réponse.

Bientôt le dossier du nucléaire indien devient radioactif. À New Delhi, les autorités sont furieuses : quels sont donc ces Français qui se comportent comme des marchands de tapis? On s'étonne de ce « court-circuitage au sommet d'un accord intergouvernemental » que Mme le Premier ministre Gandhi entrevoyait comme l'une des réalisations importantes de son règne. Du même coup, les entreprises françaises mises en piste se retrouvent les quatre fers en l'air. Sans comprendre ni pourquoi ni comment. Sauf les Charbonnages de France, déjà bien installés en Inde, et Spie-Batignolles, qui participe en franc-tireur à la construction du port de Nava-Shiva. L'année suivante, aux dires de personnalités indiennes, il est probable que la perte par la Sofema d'une commande de plusieurs centaines de canons autotractés de 155 mm doit plus aux sonnantes et trébuchantes interventions de Pelat, en tenue camouflée d'intermédiaire solitaire, qu'aux imprudences d'un attaché militaire.

Si, dans son rapport, le juge Thierry Jean-Pierre ne signale pas cette peu glorieuse expédition indienne, en revanche Michel Guénot, le directeur financier de Vibrachoc, la société de Pelat, confirme qu'en 1982, l'ami du président « venait de se faire confier certaines missions représentatives dans des pays étrangers, tels que les Indes et la Corée » (cote 1682 du dossier). Il mentionne également qu'en 1983, « il était effectivement question que Roger-Patrice Pelat soit chargé de la coordination des actions industrielles françaises, en Chine, en Thaïlande et aux Indes ». Pelat et son ami Max Théret, fondateur de la Fnac et futur « initié » comme lui de l'affaire Pechiney, participent tous deux au voyage en Chine de François Mitterrand. Roger-Patrice Pelat sera également l'une des chevilles ouvrières de « l'année de l'Inde », organisée, de juin 1985 à juin 1986, par Jean Riboud, le patron de la multinationale Schlumberger, milliardaire de gauche, ami de Mitterrand.

Certes, nul à New Delhi et dans les cercles informés de l'affaire ne fera l'offense au président de la République française de penser qu'il a été tenu au courant de l'usage fait par son ami Pelat de leur intime relation. Même à son niveau, on ne peut tout savoir. Et puis, comment un homme de cette importance, un chef d'État de cette envergure, parfait intellectuel fêté par les plus grands humanistes, comment le signataire de l'historique Programme commun de la Gauche aurait-il pu suspecter l'un de ses proches, forcément au-dessus de tout soupçon ?

La Rolls-Royce métallisée or de Roger-Patrice Pelat dans la cour d'honneur de l'Élysée, la douze cylindres Jaguar XJS avec intérieur en cuir blanc, la grosse Mercedes 500 pour les déplacements courants, sa chasse somptueuse en Sologne avec ses huit cents hectares et cent quatre-vingts kilomètres de layons, l'exotique propriété de Palm Island, dans l'archipel des Grenadines... Des bricoles. Après tout, Pelat s'est fait à la force du poignet. De bonne foi, François Mitterrand le proclame à qui veut l'entendre. Le 12 février 1989, quatre jours avant l'inculpation de son ami, pour « recel de délit d'initié », par le juge Édith Boizette, il dit haut et fort, à *7 sur 7*, l'émission d'Anne Sinclair sur *TF1* dont je parle plus avant :

« Il était pauvre, très pauvre, et puis il s'est enrichi, non pas comme homme d'affaires, mais comme industriel. »

Sur les dérapages de Roger-Patrice Pelat en Inde, nous sommes prévenus le 11 février 1989, vingt-

quatre heures avant le passage de François Mitterrand à *7 sur 7*, en plein scandale Pechiney.

Ce soir-là, devant les caméras, le chef de l'État est
grandiose. Je le retrouve fort comme Hugo, émouvant
comme Zola, séducteur comme Casanova, Tartuffe
comme dans Molière.

Son rôle à la tête du pays ? Il est, susurre-t-il, mains
jointes et yeux papillonnants, plus « papelard » que
jamais, d'assurer « la défense des Français modestes
contre les spéculateurs de toutes sortes ».

La France respire. Enfin un peu d'air pur !

De toute évidence, le roi François continue d'ignorer les agissements de l'ami Pelat, contre qui, le
30 janvier (quinze jours avant), la COB française a
relevé des infractions pénales dont elle a saisi le
parquet. Le juge d'instruction est désigné et la PJ a
commencé de pister ceux qui, en Bourse, ont profité,
comme lui, d'une « information privilégiée » reçue
dans les allées du pouvoir, et se sont « enrichis
frauduleusement ».

François Mitterrand n'est pas homme à perdre son
flegme. À Anne Sinclair qui l'interroge sur toutes ces
« affaires », en contradiction avec son traditionnel
discours moralisateur, il donne des gages de sa bonne
foi. Du grand art :

« Je veux que l'on défende les producteurs et les
chefs d'entreprise contre cet argent baladeur qui,
comme les oiseaux de proie, s'empare de tout sans
avoir pris part à l'effort quotidien. »

Sur sa lancée, le président clame son horreur des
« intermédiaires qui ramassent trop facilement des

milliards de centimes ». L'État, estime-t-il, peut et doit empêcher les ravages de ces prédateurs.

Magnifique !

Mais qu'a fait depuis tant d'années le président, qu'a-t-il entrepris pour qu'on en finisse avec ces mœurs détestables qu'il fustige ?

Qu'a-t-il décidé pour arrêter Pelat dans ses mercantiles entreprises, dont, au bout du compte, il ne peut plus dire qu'il ne les connaissait pas ?

C'est parce qu'il veut, une nouvelle fois, m'assurer que François Mitterrand est parfaitement au courant des manigances de Pelat que je revois François de Grossouvre, un matin de février 1989, en pleine affaire Pechiney. Je suis accompagné par Labrouillère. La rencontre a lieu quai Branly, peu avant que le président fasse pleurer dans les chaumières, en racontant sur le plateau de *TF1* l'histoire de son amitié avec Pelat, nouée dans un camp de prisonniers, pendant la Deuxième Guerre mondiale, « dans des circonstances de misère et de solitude, dans la faim et le froid, des chiffons autour des pieds... ».

Nous-mêmes sommes un instant attendris par la qualité de pareils sentiments. Très vite, François Mitterrand nous rappelle à la raison, par une envolée à laquelle nous souscrivons totalement... mais qui, sortie ce soir-là de sa bouche, en de telles circonstances, lui va comme des lunettes à un cheval. Désormais, conformément à ses vœux, nous en ferons notre jurisprudence constante :

« Lorsqu'il s'agit de l'État et de la réputation de la

France, clame-t-il doctement, il n'y a pas de relations particulières, ni de fréquentations privilégiées. »

Effet de manche... dont François Mitterrand est coutumier.

De cette « France » dont parle avec tant de ferveur le président de la République, eh bien soit, parlons-en ! Puisqu'il s'agit d'elle et de sa « réputation », nous nous devons de pousser plus avant nos investigations. Ainsi allons-nous découvrir l'étendue des trafics imputables à Roger-Patrice Pelat. Ceux que l'on retrouve maintenant, avec encore plus de détails et de force — car il s'agit d'un document transmis au procureur de la République pour qu'il prenne de nouvelles réquisitions —, dans ce rapport du juge Jean-Pierre, établi avant son départ du tribunal de grande instance du Mans, à la fin de 1993.

Les Français, la classe politique, le monde judiciaire n'ont pas saisi toute la portée du rapport Jean-Pierre. Publié en cahier spécial dans *Le Point*, il n'a été lu, le plus souvent, qu'en diagonale. Pourtant, cette « Ordonnance de soit-communiqué » est une vraie bombe à retardement pour François Mitterrand. Ce que Monsieur le président de la République sait pertinemment, mais fait mine d'ignorer. Je vais donc m'employer maintenant à décoder — c'est bien le terme qui convient —, expliciter un exposé juridique qui exige quelques commentaires et ajouts circonstanciés, pour être aisément, durablement compris par tous. De plus, avec la version complète, non expurgée, de ce rapport, je prends le parti d'utiliser tels quels les passages nécessaires à la compréhension du sujet, sans occulter les noms des personnes citées. D'autant que ma connaissance du dossier m'oblige, en raison du devoir de vérité, à ne rien cacher... dès lors que tout cela se passe :

- aux frais de la République ;
- dans des palais nationaux, des locaux gardés et servis par des personnels de l'État ;
- hors des lieux de ce que nos juges appellent « l'intimité de la vie privée »... qu'il nous est interdit de violer.

Le rapport du juge Thierry Jean-Pierre constitue un vrai feu d'artifice... dont le bouquet final explose au-dessus de l'Élysée. Le magistrat conclut à « *l'existence de présomptions graves de faits nouveaux semblant pouvoir revêtir les qualifications d'abus de biens sociaux et recel* », contre le chef de l'État et son fils Gilbert Mitterrand. Crimes et délits. Ainsi que le remarquent très justement Jérôme Dupuis et Jean-Marie Pontaut, dans *Le Point*, on imagine l'embarras du parquet du Mans et de la Chancellerie, qui doivent aujourd'hui décider de la suite à donner à ce dossier...

François Mitterrand doit moins au juge Jean-Pierre qu'à un certain Jean-Pierre Bouvet, ancien directeur général de la société de construction Heulin, au Mans, la mise au jour officielle de ses rapports d'argent avec Pelat et du peu catholique réseau d'affaires confortablement installé sous les dorures de l'Élysée. Comme il est loin le temps des camps de prisonniers et des chiffons autour des pieds !

Le 31 janvier 1992 en effet, Jean-Pierre Bouvet dépose plainte au tribunal de grande instance du Mans. Il estime injustifié son licenciement de la société Heulin et réfute la « mauvaise gestion » dont on l'accuse. À l'appui de sa plainte, il livre des documents, notamment des factures qu'il dit être fausses et assure avoir été contraint par la direction de sa maison mère CBC d'assumer un certain nombre de pratiques qui auraient obéré ses comptes. Le 30 mars, le parquet donne suite aux dénonciations de Jean-Pierre Bouvet, qui pourraient déboucher sur des abus de biens sociaux au préjudice de la société Heulin.

Pour le juge Jean-Pierre, chargé de ce nouveau dossier, l'entreprise Heulin n'est pas une inconnue. En janvier 1991, il s'est intéressé à cette firme de travaux publics, après un accident mortel sur le chantier de l'Îlot 7, au Mans. C'est en enquêtant sur ce dossier qu'il a tiré, un à un, de nombreux fils et pu remonter progressivement jusqu'aux fausses factures du Parti communiste et du Parti socialiste. Déjà, dans cette première instruction, il décortique les comptes et l'organisation d'Heulin.

Chacun sait alors que je détiens les précieux cahiers à spirales de Joseph Delcroix, le directeur administratif d'Urba, l'officine de racket du PS. On y trouve annotées, année après année, depuis 1981, toutes les opérations frauduleuses ourdies par ce réseau et d'autres officines parallèles pour phagocyter les marchés publics. Le juge Jean-Pierre me convoque dans son bureau du Mans, le 23 mars 1991. À sa demande, je lui remets alors un jeu complet des terribles cahiers (trois cent cinquante pages) du greffier de la corruption. Les fameux scellés 46, 47 et 48 du dossier Urba, ceux précédemment soustraits à la connaissance des tribunaux, sur ordre des ministres socialistes de la Justice, Pierre Arpaillange et Henri Nallet. J'y ajoute de nombreux documents originaux, fruits de mes propres enquêtes en 1984, 1985 et 1986. Au total, plus de six cents feuillets. Là apparaissent les traces formelles des vols commis par les pirates du PS dans l'attribution des marchés. Ces éléments sont suffisants pour faire aboutir l'enquête du juge qui les recueille. Car la loi d'autoamnistie que se sont votée les socialistes, en janvier 1990, ne concerne ni la corruption ni le trafic d'influence. Ces pièces complètent le contenu du livre *L'Enquête impossible* d'Antoine Gaudino, lui aussi entendu comme témoin par Thierry Jean-Pierre. Ainsi sera relancée l'affaire Urba, précédemment étouffée à Marseille. Confiée ensuite au magistrat de Rennes Renaud Van Ruymbeke, elle va se traduire par le renvoi de plusieurs hiérarques socialistes, dont l'ancien trésorier du PS Henri Emmanuelli, devant le tribunal correctionnel.

Le 5 mai 1992, Thierry Jean-Pierre se fait communiquer une partie de ce premier dossier Heulin et l'intègre à la nouvelle procédure déclenchée par la plainte du directeur général licencié. Le juge y trouve des « renseignements précieux ». Des salariés d'Heulin sont interrogés, des confrontations organisées. Au cœur du dossier, des factures litigieuses relatives à des travaux de terrassement réalisés dans la propriété, en Sologne, de Christian Pellerin, le célèbre promoteur immobilier du quartier de La Défense à Paris, l'un des patrons de l'immobilier du puissant groupe Générale des Eaux, dont dépendent aussi Heulin et CBC. Les policiers du commissariat central du Mans sont envoyés repérer ce domaine de La Paillardière. Ils localisent la chasse, l'étang et le haras de Christian Pellerin.

Dans son cabinet, le juge Jean-Pierre fait le « forcing ». Pendant les mois qui suivent, il délivre des commissions rogatoires à tour de bras. Le 22 mai 1992, à 8 h 30 du matin, une fructueuse perquisition permet de trouver chez Heulin un grand nombre de documents comptables. Ils s'avéreront déterminants. Accompagné du procureur de la République, le juge s'active toute la journée, jusqu'à 19 h 15. Parmi les pièces mises sous scellés, de nombreuses « pépites ». On recense notamment :

• Des documents concernant le Berim, un des bureaux d'études bidons du Parti communiste, dont j'ai révélé l'existence, dès 1977, dans mon livre *Les Finances du PCF...* et que l'on a laissé libre de continuer à agir, en parfaite illégalité.

• Ceux intéressant le domaine de La Paillardière, au Nevoy, la propriété de Pellerin.

• Six factures litigieuses d'un sous-traitant, l'entreprise Prochasson.

• De nombreuses autres factures dont l'examen ultérieur va démontrer la fausseté.

Le rapport du juge Jean-Pierre donne maintenant

un catalogue des sommes prélevées par les socialistes d'Urbatechnic dans la seule entreprise Heulin. On en a le vertige :

• 258 044 francs, le 25 mars 1985, pour le lycée polyvalent de Torcy, en Seine-et-Marne.

• 430 074 francs, le 15 mai 1985, 172 029 francs, le 24 octobre 1985 et 115 069 francs, le 26 avril 1988 toujours pour ce même lycée.

• 59 300 francs, le 5 septembre 1986, pour une « Étude-réflexion sur la maison individuelle à ossature bois ».

• 77 090 francs et 100 810 francs, le 5 septembre 1986, pour une autre « Étude-enquête ayant pour objet le panorama de l'hôtellerie française ».

• 428 379 francs, le 26 avril 1988, pour le CES de la Faisanderie à Marne-la-Vallée.

• 142 320 francs, le 20 janvier 1990 [cinq jours après le vote par les socialistes de la honteuse loi d'amnistie du 15 janvier 1990 !] pour une « Étude de marché sur la situation immobilière sur Le Mans et sa proche banlieue ».

Au total, dans cette unique entreprise Heulin, c'est quelque 1,5 million de francs que les socialistes ont soutiré, en échange de marchés publics. Si Heulin n'avait pas accepté de payer, elle n'aurait pu obtenir ces marchés. Le racket d'Urba ? C'est ça. Avec cette petite illustration locale, je laisse au lecteur le soin d'imaginer l'ampleur des sommes en jeu, l'étendue des dégâts dans toute la France. D'autant que les socialistes ne sont pas les seuls « sur le coup », comme on dit chez les malfrats.

La perquisition du juge Jean-Pierre chez Heulin témoigne également de l'excellent appétit du Parti communiste français. Ce qui, après tout, n'est que justice, puisque le PCF est l'inventeur du système des bureaux d'études bidons, copié par le PS, sur ordre du premier secrétaire, François Mitterrand, à partir de 1971.

La place me manque ici pour énumérer les fausses factures réglées par Heulin au profit des sociétés du PC, émanation du tentaculaire Gifco, le Groupement d'intérêt économique — équipements et fournitures pour collectivités. Revoilà les fausses factures de la Siavit, de Bretagne Loire équipement (la bien dénommée société « BLÉ »), Auvergne Bourgogne Centre études (ABCE) et Berry publicité.

L'honnêteté me commande de préciser, à propos du Gifco communiste, que le PCF a toujours nié être le vrai propriétaire de ce groupe spécialisé dans le racket. Il est vrai que, à l'inverse du Parti socialiste qui a eu l'imprudence de rattacher Urba à sa direction, le Parti communiste a pris la précaution de confier ses officines de collecte de fonds à des militants professionnels, entièrement dévoués au Parti, qui, comme les espions quand ils se font prendre, nient toujours l'évidence. Mais dans mon livre *Les Secrets de la banque soviétique en France*[1], j'ai, en janvier 1979, apporté les preuves bancaires (que j'ai patiemment récoltées, pendant trois mois, dans les poubelles de cette banque), de l'appartenance de

---

1. Éditions Albin Michel, Paris.

toutes ces sociétés commerciales au réseau de ramassage de fonds du PC français. Toutes avaient comptes ouverts à la banque de l'État soviétique en France : la Banque commerciale pour l'Europe du Nord — Eurobank, 77, 79 et 81, boulevard Haussmann, à Paris. Toutes, dans les « listings des comptes numériques » et les « listings des comptes alphabétiques dénominations » étaient rangées dans une catégorie spéciale, ou plutôt sous un matricule, par les agents de Moscou à Paris. Bureaucrates, les banquiers soviétiques ordonnaient leurs fiches par catégories : idéologiques, politiques, syndicales, diplomatiques, affaires, etc. Les fondés de pouvoir de Leonid Brejnev réunissent alors, sous le numéro 09, toutes les sociétés commerciales, personnes morales, qu'ils considèrent et traitent comme communistes. Ainsi, le Berim, spécialisé dans le bâtiment, le génie civil, l'équipement et l'installation d'usines, répond au numéro de compte 08 470-8-001-09 ; la Socopap, fleuron du groupe Gifco, au numéro 06 294-4-001-09, etc.

Au palais de justice du Mans, le juge Jean-Pierre avance sur un terrain miné. Après cette première moisson fructueuse, perquisitions et interrogatoires se succèdent sans désemparer, jusqu'à la fin de 1992. Ils permettent de découvrir de nouveaux faits, notamment au Mans, à Bourges et à Romorantin, susceptibles d'être qualifiés d'abus de biens sociaux.

Urba, le Gifco ? Toutes ces structures de racket sont connues. Comme les magistrats de l'opération « Mains propres », en Italie, le juge Jean-Pierre continue son escalade commencée en 1991. Il ne sait pas que, bientôt, elle va lui permettre de remonter jusqu'au sommet, à l'Élysée, dans les comptes du président de la République, François Mitterrand. Là où une justice indépendante aurait dû aller mettre son nez, dès le 9 février 1989, quand le député RPR Pierre Mazeaud réclame officiellement une « enquête » à propos de Roger-Patrice Pelat et de la vente à l'État de sa société Vibrachoc (dont Mitterrand a été le conseiller), abus commis en connaissance de cause par le patron de la CGE (nationalisée), Georges Pébereau, l'opération étant « encouragée par l'Élysée ».

*Tableau de chasse chez Pelat :*
*37 millions de pots-de-vin*

11 juin 1992 : le juge Thierry Jean-Pierre reçoit une seconde « lettre anonyme ».

Depuis la guerre, les vilaines manières perdurent : les héros de l'ombre ne sont pas fatigués.

Les 5 février, 11 juin, 7 août et 21 novembre 1992, puis le 28 janvier, les 16, 22 (deux lettres le même jour) et 26 février, les 3 et 24 mars, 16 avril, 26 juillet et 16 octobre 1993, des stakhanovistes non identifiés de la délation continuent de sévir, dans treize courriers adressés à la « Cité judiciaire » du Mans. Toutes ces missives sont normalement jointes aux pièces de l'instruction. C'est la loi, que le législateur n'a pas voulu changer après (et malgré) les années noires de la collaboration !

Ainsi trouve-t-on, à la cote « 1042 » du dossier, la lettre anonyme qui, le 16 avril 1993, prétend qu'il y aurait un lien entre le promoteur Christian Pellerin et le meurtre, à Montpellier, le 5 mars 1993, de mon ami Jacques Roseau, porte-parole du Recours-France, alors la seule association dynamique des rapatriés d'Algérie.

Calomnie !

Christian Pellerin n'est certes pas un saint. Mais cette fois, les scribes de la médisance poussent le bouchon trop loin. À cette date, je sais déjà quels nervis d'extrême droite ont inspiré les assassins de mon vieux copain Jacques, dont je puis témoigner qu'il ne connaissait pas Christian Pellerin. Nous étions d'intimes amis, depuis notre adolescence à Alger, à la fin des années cinquante. Ses relations étaient les miennes et nous ne nous cachions rien. Je lui dois un soutien sans faille, précieux, dans le difficile combat contre la corruption.

Jacques Roseau n'est pas mort de son intervention — secrète, indirecte, mais bien réelle — dans le dossier instruit par le juge Jean-Pierre. Haï par quelques fanatiques, il a payé de son sang sa trop grande fidélité à une cause perdue, la nôtre, lors du lâchage de l'Algérie française aux tyranneaux menteurs et corrompus du FLN, indécrottables donneurs de leçons, élevés à la même école que certains de leurs porteurs de valises français, aujourd'hui reconvertis dans la fausse facture et le trafic d'influence.

Pendant l'été de 1992, des « corbeaux » continuent d'alimenter le juge Jean-Pierre en ragots de toutes sortes. De son côté, le magistrat éprouve quelque difficulté à trouver sa voie dans le labyrinthe des documents récoltés.

P-DG de CBC, Gilbert Simonet connaît bien lui aussi Jacques Roseau qui me le présente. Forte rencontre.

Après son départ de la direction générale de Bouygues, en 1982, Gilbert Simonet a rejoint le groupe Générale des Eaux, avec lequel il a créé Campenon Bernard Construction, dont il assume la présidence. Il est aussi le président de la société des Maisons Phénix. Bientôt, il devient le P-DG de la Compagnie générale de bâtiment et de construction (CBC), celle qui intéresse l'enquête du juge Jean-Pierre.

Gilbert Simonet n'est pas homme à fuir ses responsabilités. Même si des fautes ont été commises par d'autres dans son entreprise, il entend, en sa qualité de président, répondre de leurs actes. Il fait part à Jacques Roseau des perquisitions opérées par le magistrat du Mans chez Heulin, filiale de CBC. Il cherche à comprendre le pourquoi de ces tenaces investigations. Manifestement, le juge cherche autre chose que de banales fausses factures au profit du PS ou du PC.

Tout naturellement, Jacques Roseau conseille à Gilbert Simonet de me voir. Il me sait parfaitement informé du dossier Urba et des affaires de corruption. Un premier contact a lieu au début de juin 1992. Puis un autre, en juillet.

Le patron de CBC est un homme sympathique. Il m'expose son dossier et me semble de parfaite bonne foi. À ses questions, je ne peux répondre autrement qu'en lui faisant part d'informations confidentielles. Je les détiens depuis 1989 et les débuts du scandale Pechiney :

« Il est probable que le juge a les mêmes éléments

que moi. En Sologne, dans le petit monde des chasseurs, il se répète que Roger-Patrice Pelat n'a pas payé intégralement les travaux d'aménagement ou de rénovation de sa propriété de La Ferté-Saint-Aubin. On m'a même dit que Christian Pellerin se serait débrouillé pour régler la facture. Vous les connaissez tous les deux, n'est-ce pas ? »

Gilbert Simonet acquiesce.

« Ce sont des amis. J'aimais beaucoup Pelat, c'était un gars très sympa. Souvent, nous chassions ensemble. »

Présent, Jacques Roseau écoute, les yeux grands ouverts, comme des soucoupes. Je l'ai prévenu de mes intentions : il n'est pas question que j'écrive quoi que ce soit à propos de cette entrevue. Puisque Gilbert Simonet sollicite mon avis, je ne dissimulerai pas le fond de ma pensée :

« Je ne sais, cher monsieur, ce que recherche le juge Jean-Pierre. Certes, je le connais un peu. C'est un homme intègre et déterminé. Il m'a entendu, en mars 1991, dans le cadre de la première affaire Heulin. Je ne me permettrais pas de l'appeler et d'ailleurs je vous remercie de ne pas m'en prier. Je ne sais non plus, et ne veux savoir, ce que votre entreprise a pu faire réellement que le juge recherche avec autant d'obstination. Si, d'aventure, vous avez été racketté par des politiques — ce que je suppose —, le juge le découvrira tôt ou tard. Dans ce cas, à votre place, je devancerais sa convocation qui, de toute manière, ne manquera pas d'arriver. Quand donc, vous, les chefs d'entreprise, vous déciderez-vous à rompre la loi de l'omerta, la loi du silence ? »

Le P-DG paraît surpris. Est-il inquiet ? Nous convenons de nous revoir. Ce soir-là, je n'en saurai pas plus. Ni sur Christian Pellerin — qui, d'ailleurs, ne m'intéresse pas —, ni sur les travaux dans la propriété de Pelat. Trois mois plus tard, après les vacances, Jacques Roseau rétablit le contact. Nous sommes le 7 octobre 1992. Gilbert Simonet n'a pas fini de s'interroger :

« J'ai bien réfléchi à ce que vous m'avez dit. Vous avez sans doute raison. Seulement, il n'est pas d'usage, dans nos métiers, de dire publiquement ce que tout le monde sait mais que chacun tait. Les chefs d'entreprise sont systématiquement ponctionnés depuis trop longtemps. Vous imaginez-vous l'impact qu'aura ma déposition si je prends l'initiative de dire la vérité ?

— Justement, monsieur, c'est dans la mesure où vous la direz que vous n'aurez plus rien à craindre. Regardez donc toutes ces affaires de fausses factures. Combien d'hommes politiques sont en prison ? Aucun. Et combien de chefs d'entreprise ont été envoyés au dépôt, menottes aux poignets, comme des voleurs de poules ? Des dizaines. Il faut arrêter cette comédie ! Vous êtes les seuls à payer. Vous êtes doublement victimes. Non seulement, vous passez à la caisse, mais vous servez aussi de boucs émissaires et finissez au cachot. Le temps de la corruption est révolu. »

Ce jour-là, quand nous nous quittons, je comprends — à son regard — que Gilbert Simonet a déjà décidé d'aller voir le juge — auquel il a écrit — pour lui livrer le secret qu'il cherche : 25 millions de francs de commissions occultes ont été payés sous forme de travaux dans la chasse de Roger-Patrice Pelat. Démarche héroïque d'un grand patron.

Le 11 janvier 1993, Mᵉ Jean-Marc Varaut, ténor du barreau de Paris, téléphone au juge Jean-Pierre :
« Mon client, M. Gilbert Simonet, demande à être entendu. »
Le magistrat accepte d'entendre le P-DG de CBC, dès le lendemain matin, dans son cabinet au palais de justice du Mans. Cela fait plusieurs mois, dès le 29 juin 1992, que Gilbert Simonet a réclamé, par écrit, son audition. Mais, jusqu'à présent, Thierry Jean-Pierre faisait la sourde oreille. Il suivait un minutieux plan d'enquête. Cette fois, il lui est difficile de refuser un témoignage capital et spontané.
12 janvier 1993 : Gilbert Simonet prend place dans le petit bureau du juge Jean-Pierre. En guise de hors-d'œuvre, il lui révèle que les factures concernant les travaux effectués par Heulin, et imputés à d'autres chantiers, ne concernent pas La Paillardière, la propriété de Christian Pellerin. Sur ce point, Gilbert Simonet est formel. Aussi, le juge va droit au but : mais alors, qui en a profité ? Le magistrat a déjà sa petite idée. Il demande au témoin de lui « parler des travaux exécutés chez Pelat ».
Vient le plat principal :
« D'autres factures saisies, celles du sous-traitant

Prochasson, sont fausses. Elles cachent le versement d'une commission occulte à Roger-Patrice Pelat, lequel a permis à CBC de construire un complexe hôtelier en Corée du Nord, à Pyongyang. »

Gilbert Simonet tient à expliquer au juge le sens de sa démarche :

« Si j'ai demandé à vous rencontrer, c'est parce que je pensais qu'il valait mieux que vous appreniez la vérité en une seule fois et sans dissimulation, plutôt que par des investigations répétées. Le dossier Pelat pouvant avoir un caractère médiatique et être l'objet de mauvaises interprétations, j'ai préféré vous dire la vérité tout de suite : M. Pelat a été payé en travaux et pas par un autre moyen. »

La commission de 25 millions sur le contrat de Corée du Nord ? Le P-DG de CBC ne cache rien :

« Cette somme a été versée à Roger-Patrice Pelat par le biais de travaux réalisés par Prochasson dans sa propriété de L'Écheveau, en Sologne... Contrairement à ce qu'indique le plaignant, Jean-Pierre Bouvet, les factures Prochasson réglées par Heulin (370 032 francs + 472 028 francs) n'étaient pas destinées à payer, de façon déguisée, le creusement de deux étangs sur la propriété de Christian Pellerin, mais elles faisaient partie des travaux réalisés par Prochasson chez Roger-Patrice Pelat. Elles correspondent donc à une partie du paiement de la commission occulte versée par CBC à Pelat. »

Au juge, Gilbert Simonet décrit ensuite la procédure suivie pour masquer dans les comptes de CBC, à travers divers chantiers, les travaux gratuits réalisés dans la propriété de Roger-Patrice Pelat. Chez l'ami du président, on y est allé comme à la cour du roi d'Arabie : 25 millions de francs seulement pour le nettoyage des étangs existants, le creusement de fossés, la réfection des chemins et la création de trois nouveaux étangs de grande superficie. Qui dit mieux ? François Mitterrand ne s'en est jamais plaint. Au contraire, d'un coup d'hélicoptère, il apprécie les escapades en semaine dans le château de Pelat, dont le luxe ne l'a pas étonné. Que n'a-t-il songé à y traîner Bernard Kouchner et l'abbé Pierre ?

Après la déposition de Gilbert Simonet, le promoteur Christian Pellerin, membre du conseil d'administration de CBC, est interrogé, en présence du procureur de la République. Hors du commun, son train de vie est passé à la loupe. Le juge Jean-Pierre découvre que le roi des tours de La Défense perçoit un salaire annuel de plus de 8,5 millions de francs, auquel s'ajoutent de confortables jetons de présence, revenus de créances, coupons d'actions et avoirs fiscaux. Il possède pour 112 millions de francs d'immeubles bâtis et quelque 60 millions de francs d'actions, liquidités et autres biens mobiliers. Le Crédit Lyonnais, la banque qui dit toujours oui, lui a octroyé un découvert d'environ 119 millions de francs, garanti, il est vrai, par 335 000 actions de sa société Olipar.

Pourquoi donc un homme si riche a-t-il éprouvé le besoin de se fourvoyer dans une relation sulfureuse avec Pelat ?

Par contagion !

Protagonistes tous les deux du contrat en Corée du Nord, Pelat et Pellerin sont de vieux amis. « Monsieur le vice-président » fait souvent inviter l'homme de La Défense aux chasses présidentielles. Les deux hommes se connaissent depuis le milieu des années soixante-dix, quand Lucia, l'une des sociétés du promoteur, a racheté un château à Boutigny-sur-Essonne, la petite ville au sud de Paris dont Pelat était le maire et où il avait installé l'usine de Vibrachoc, société hantée que le juge va bientôt retrouver... avec les noms des Mitterrand, père et fils, Bérégovoy, Boublil, Fabius, Delors, Pébereau (l'homme du raid sur la Société Générale, avec plus d'un milliard de francs envolé en « délit d'initié » du côté de la Suisse), le sempiternel Crédit Lyonnais, etc.

Trois jours après sa première audition, Gilbert Simonet transmet au juge, à l'appui de ses dires, les documents du marché en Corée du Nord. Leur authenticité est établie et, après investigations, le magistrat réussit à reconstituer ce qui s'est passé... et que je connais, pour l'avoir appris des victimes de ce vice-présidentissime racket.

Jeudi 11 février 1993, quai Branly. Je retrouve François de Grossouvre fébrile. Dans la presse, son nom est mêlé à celui de Pelat, ce qu'il abhorre par-dessus tout :

« Enfin François, qu'attendiez-vous d'autre ? Je ne cesse de vous le dire : quittez l'Élysée, reprenez votre liberté. Ensuite vous pourrez tout expliquer. Je publierai vos Mémoires. Je ne vois pas ce qui vous retient ici. »

Silence.

Grossouvre me dévisage. Geste d'impuissance. Et toujours, cette même réaction infantile face à l'indéfinissable, la secrète passion à l'égard de Mitterrand qui, au fond de lui, le ronge, le retient au palais.

Comme souvent, point de réponse à une question-observation dont il est patent qu'elle le gêne.

Tant que François de Grossouvre demeure aux côtés du président de la République, l'ami que je suis doit s'efforcer de rester journaliste, interprète de la raison et de la curiosité.

Échec !

François ne m'entend pas. Il reste avec son obsession : son nom est là, dans les journaux, sur la table basse du salon, associé aux « folies » de Pelat.

Désarroi.

Plusieurs mois avant d'être entendu par le juge Jean-Pierre, puis confronté à Gilbert Simonet et à un autre acteur, le sénateur socialiste Louis Perrein, François de Grossouvre me rapporte ce qu'il a vu et entendu à l'Élysée :

« Voilà le résultat ! Encore une fois le président ne peut s'en prendre qu'à lui-même. Depuis le début, je n'ai pas cessé de le mettre en garde. Les dégâts vont être considérables. Maintenant, c'est le Premier ministre qui est dans le pétrin. Et regardez, ils essaient aussi de me mettre dans le bain.

Je vous ai demandé de venir pour que vous sachiez la vérité.

— Quelle vérité ? Vous êtes mêlé à ces tripatouillages coréens ?

— Voici exactement comment les choses se sont passées. En février 1981, juste avant l'élection de François Mitterrand à l'Élysée, j'ai effectué avec lui, sa femme Danielle et leur fils aîné Jean-Christophe, la visite privée en Chine et en Corée du Nord. Le 15 février, à Pyongyang, François Mitterrand s'est entretenu avec le président Kim Il Sung. Il a trouvé que c'était un homme ayant beaucoup de bon sens et de réalisme. Après la victoire du 10 mai, les Nord-Coréens, par l'intermédiaire de leur ambassadeur à Paris, nous harcelaient pour que nous réchauffions les relations de la France avec leur pays. Régulièrement, presque chaque semaine — vous connaissez les Asiatiques —, ils revenaient à la charge. François Mitterrand a décidé de me confier le dossier avec pour mission officieuse d'activer ce rapprochement et, accessoirement, de tenter de réconcilier la Corée du Nord avec la Corée du Sud. C'est ce que j'ai entrepris. J'y ai travaillé, entre autres, avec un diplomate yougoslave... devenu plus tard ministre des Affaires étrangères. Pendant l'été 1982, j'ai cru que nous allions réussir. Un jour, les Nord-Coréens sont venus me voir, accompagnés du diplomate yougoslave, pour me dire : " *Pourquoi ne pas sceller l'amitié entre nos deux pays en réalisant un complexe hôtelier de prestige, qui serait construit par des entreprises françaises ?* " L'idée m'a paru bonne et je leur ai répondu :

" *D'accord, faites un appel d'offres ; j'organiserai une réunion d'industriels qui pourraient être intéressés.* " Cette rencontre a eu lieu. J'ai fait les présentations et je suis sorti de la salle en laissant les Coréens et les chefs d'entreprise français face à face. Ensuite, plus de nouvelles. Jusqu'au jour où le sénateur socialiste du Val-d'Oise, Louis Perrein, qui s'occupait des Amitiés franco-coréennes, vient me voir. Il me dit : " *Gilbert Simonet, le patron de CBC, ne veut pas donner d'argent à mon association ; il m'a indiqué avoir déjà beaucoup versé, au plus haut niveau, à l'Élysée. J'ai pensé que c'était à vous.* " Je suis suffoqué. Jamais je n'ai entendu parler de commissions à l'Élysée sur ce contrat. Je décide de tirer l'affaire au clair. Je demande immédiatement à Gilbert Simonet de venir s'expliquer devant le sénateur Perrein. Le patron de CBC me confirme : " *Oui, on a versé des commissions au plus haut niveau.* " Je lui demande si c'est au président de la République. Sa réponse reste évasive : " *Non, mais c'est très proche.* "

Je l'interromps :

« Mon cher François, dans cette affaire, il faut être précis. Je ne peux vous en dire davantage, mais Gilbert Simonet a une autre version. Il nie vous avoir parlé de commission versée à quelqu'un de l'Élysée. Quoi qu'il en soit, ça ne change rien à l'affaire. Une chose est sûre, Pelat a touché. »

François de Grossouvre ne relève pas mon objection. Il est comme terrorisé, sous l'emprise d'une frayeur indicible :

« C'est horrible, le juge va remonter très loin. J'ai

appris qu'il y a eu une perquisition chez un entrepreneur qui a travaillé dans la chasse de Pelat. Les gendarmes ont omis de saisir des pièces essentielles, sans prévenir le juge. Ce n'est pas avec ces petites combines qu'ils vont l'arrêter... »

Au cours de cet entretien, comme de tous les autres, je cache à François de Grossouvre mes conversations avec Gilbert Simonet. Secret professionnel. En même temps, cela me permet de vérifier la sincérité de l'un et de l'autre. Gilbert Simonet m'a déjà raconté dans quelles circonstances il fut amené à payer le service de Pelat. Les différences entre leurs deux versions sont de pure forme. Dix ans après les faits, rien que de plus normal.

Au palais de justice du Mans, le juge Jean-Pierre reconstitue, lui aussi, le circuit de la corruption organisée par Roger-Patrice Pelat.

Soumis à un communisme dur, un régime implacable, la Corée du Nord est un pays au ban des nations occidentales. Au cours du voyage de François Mitterrand, en février 1981, il a bien été question de la reconnaissance diplomatique de la Corée du Nord par la France, une fois François Mitterrand devenu chef de l'État. Élu, le nouveau président reçoit chez lui, rue de Bièvre, avec « un énorme bouquet de fleurs », les félicitations de la délégation de la Corée du Nord en France.

Il demande à François de Grossouvre, nouveau chargé de mission à l'Élysée, d'être l'interlocuteur des Nord-Coréens. Ceux-ci ont toujours le même leitmotiv : « La reconnaissance de leur pays par la France. » En novembre 1982, Grossouvre est invité par Kim Il Sung, le terrible dictateur coréen que Mitterrand a trouvé plein « de bon sens et de réalisme ». De part et d'autre, les échanges s'intensifient. Mitterrand parle même d'un voyage officiel.

C'est à cette époque que surgit l'idée coréenne de créer « une sorte de centre culturel et touristique », à Pyongyang. Gilbert Simonet fait partie des industriels conviés à la réunion chargée de préparer un appel d'offres international. Pelat n'y est pas.

Début 1983, ce dernier pointe son nez. Il n'est pourtant pas du bâtiment. Le renard a flairé le fromage.

Au courant de tout ce qui se passe à l'Élysée où, précisons-le, il n'a pas de poste officiel, Pelat propose ses services au patron de CBC qu'il fait inviter aux chasses présidentielles. Ces manifestations servent aussi à dissiper d'éventuels états d'âme ou inquiétudes. Le projet s'affine. Il est question maintenant d'un hôtel de grand standing, le *Yanggakdo*. Gilbert Simonet informe le confident du président Mitterrand de « toutes les démarches effectuées par CBC ». L'affaire n'est pas facile : la Corée du Nord a des exigences qui le dépassent :

« Elle réclame à la France une reconnaissance diplomatique que Paris peut difficilement lui accorder sans provoquer une dégradation des relations avec la Corée du Sud. Seul un geste de diplomatie économique, de Paris vers Pyongyang, est susceptible de satisfaire les trois parties. »

Les trois parties ? Outre la Corée et la France, il s'agit de l'entreprise de construction CBC, incompétente dans des problèmes diplomatiques qui ne sont pas de son ressort. Pelat se propose de les débrouiller. Telle est sa raison d'être dans ces circuits. Ce qui lui permet de prélever sa dîme au passage. Je l'ai surnommé « le croupier du Quai d'Orsay » par référence au siège des Affaires étrangères... où il est reçu comme l'empereur de Chine, des comptoirs de l'Inde et de l'Orient. Pelat intervient avec d'autres, car il n'est pas seul en lice.

Le P-DG de CBC a une autre difficulté à résoudre : puisque Pelat offre de donner un coup de main — il n'est pas encore question de commission —, ne pourrait-il pas également intervenir pour faire débloquer les crédits nécessaires ? Les Coréens ont besoin de 1,1 milliard de francs — une broutille — pour une première « opération ». Envoyé sur place, à Pyong-yang, un négociateur de CBC s'engage à « faire son possible pour trouver un financement de 450 millions ». Routine.

Telle est en effet et le plus souvent la marche suivie dans les grands contrats internationaux, surtout avec des pays désargentés et marginaux, comme la Corée du Nord.

Heureusement, les caisses de l'État français sont généreuses pour subvenir aux besoins des États insolvables. La géniale trouvaille — souvent génératrice de catastrophes financières — consiste à leur vendre nos produits, notre savoir-faire, notre technologie... avec notre propre argent, celui des contribuables. Le principe est ultra-simple, comme l'esprit du technocrate qui en a eu l'idée : l'État français avance les fonds dont l'acheteur — la Corée, en l'espèce — dit manquer pour pouvoir acquérir, chez nous, ce qui lui est nécessaire. En France — car le même système fonctionne ailleurs —, les entreprises qui ne peuvent (ou ne veulent) prendre le risque d'un impayé ont la possibilité de se faire épauler par un organisme public, la fameuse Coface, Compagnie française d'assurance du commerce extérieur. Rattachée aux Finances, la Coface octroie, sur fonds publics, les « crédits acheteurs » exigés par des dictatures communistes ou bananières — quand ce n'est pas les deux à la fois — pour qu'elles puissent financer tout ou partie des marchés qu'elles prétendent nous concéder. Du même coup, l'entreprise française concernée est normalement payée, dans les temps. Par la Coface. À charge pour celle-ci, pour l'État, de se faire rembourser par le pays acheteur. Le mécanisme permet de stimuler les exportations des entreprises françaises. Il laisse la porte ouverte à tous les abus et malversations, quand ces crédits sont octroyés sur intervention politique, avec versement de « commissions » à la clef. En Italie, l'opération « Mains propres » montre comment les socialistes de Bettino Craxi ont honteusement profité du même système, en subventionnant, notamment en Afrique, des contrats bidons.

Dans le cas de la Corée du Nord et du complexe hôtelier proposé à CBC, le marché est bien réel. Et le dossier complexe. Car la Corée communiste est sur « la liste des pays interdits à la Coface ». N'est-elle pas toujours en « état de guerre » avec les États-Unis qui ont seulement signé avec elle un armistice ? Mieux, selon la cote « 644 » du dossier d'instruction, les responsables de la Coface ne souhaitent pas alourdir davantage la dette de ce pays envers la France.

Vaines réticences. « Monsieur le vice-président » se fait fort de balayer les multiples obstacles administratifs.

En 1983, « ces Messieurs du Château » sont tout-puissants. Ils terrifient la haute fonction publique et il ne viendrait à l'idée de personne de contrarier les caprices d'un prince. Surtout s'il est du sang. Évidemment, ces menus services se paient. Pas avec des poignées de main. En cash, en travaux, meubles d'art, objets divers ou livres anciens... Au choix. Ainsi Pelat va-t-il pouvoir prélever au passage, sur le gros paquet soutiré au payeur, c'est-à-dire la Coface, la modeste « commission » du conseilleur.

Gilbert Simonet décortique les circonstances de l'intrusion inopinée de Pelat... qui se propose de « régler les aspects délicats, diplomatiques et économiques, de la transaction »... à Paris, là où il est influent. Il se souvient :

« C'est à ce moment précis que l'intervention de Roger-Patrice Pelat a été utile. Nous ne pouvions pas nous lancer dans l'étude de cette opération, dont le coût était d'environ 5 millions de francs, sans avoir quelques assurances quant à sa faisabilité. »

Au juge, le patron de CBC ne dissimule rien. Ses

réponses sont précises. Thierry Jean-Pierre ignore complètement que nous nous sommes vus. Nos rendez-vous ont toujours été préparés par Jacques Roseau qui, comme moi, est alors interloqué de découvrir, à travers ce dossier, les risques pris par Pelat pour toucher sa rançon, grâce à ses relations au sommet de l'État.

Mais, au fait, qui donc ouvre les portes à « Monsieur le vice-président » ? Qui lui permet de jouer les « intermédiaires » et, à ce titre, de multiplier les pots-de-vin ? À ces deux questions, il nous faut aussi répondre.

En tout cas, pour CBC, l'intervention de Pelat est efficace. Dans les mois qui suivent, les contacts avec les Coréens s'intensifient. Plusieurs protocoles d'accord sont signés. En novembre 1983, un contrat de « marché d'étude » est signé. Montant total : 50 millions de francs pour CBC. La Corée paie une avance de 15 millions de francs, contre une caution bancaire de CBC fixée à 3 millions. Cette garantie doit revenir de plein droit à la Corée, si CBC ne commence pas réellement les travaux. Et, surtout, si le financement partiel de l'opération par la Coface — dans les conditions que je viens de décrire — n'est pas trouvé.

Après de multiples démarches, auprès de la Coface, des différents départements ministériels concernés et de deux parlementaires socialistes — le sénateur Louis Perrein et le député Alain Vivien, deux grandes figures de la Génération Mitterrand —, la France fait le geste attendu. Elle consent à la Corée

« un crédit acheteur de 400 millions de francs, garantis par la Coface à 95 % ». Son « tirage » est lié au « paiement régulier » par Pyongyang de sa dette antérieure à l'égard des Français. De plus, Paris accepte de rééchelonner cette dette, en accordant un « moratoire », un nouveau délai de remboursement.

Le contrat de l'hôtel de Pyongyang est signé par CBC le 8 octobre 1984. La nouvelle n'est annoncée que le 19 juin 1985, « après l'entrée en vigueur des premiers versements du client ». Les travaux commencent en novembre 1985. Le complexe hôtelier, identique au Concorde-La Fayette parisien, doit être l'établissement le plus moderne de la Corée du Nord : 46 étages, 160 mètres de haut, 879 chambres, 123 suites, dans une surface totale de 86 000 m².

Un an plus tard, en décembre 1986, l'inévitable se produit : après avoir honoré ses deux premiers règlements, la Corée ne règle pas la troisième échéance. Aussitôt, le contrat liant CBC à Pyongyang est résilié.

Pour la société de construction de Gilbert Simonet — l'une des plus importantes en France —, il est trop tard. Impossible de reculer. Il faut renégocier avec les Coréens. Comme on sait le faire dans le secteur privé. Avec garanties et succès. Cette fois, sans le concours de Pelat... et de la Coface. Le compagnon de promenade de Mitterrand n'est pas un intime du céleste Kim Il Sung. À Pyongyang, il ne peut être d'aucun secours. Au terme de ces nouvelles discussions, douze « contrats particuliers » sont signés. Ils correspondent aux tranches de travaux restant à réaliser. Gilbert Simonet est meilleur gestionnaire que la

Coface. Les Coréens savent devenir raisonnables devant des interlocuteurs sérieux. CBC obtient d'être payé à l'avance. Finalement, en juillet 1991, 550 millions de francs auront été payés à la firme de Gilbert Simonet, sur lesquels Pelat a perçu, en sous-main, 24 655 462,60 francs, sous forme de travaux gratuits réalisés dans son domaine, en Sologne. Là où François Mitterrand, une fois les aménagements terminés, se pose avec l'hélicoptère présidentiel, sur l'aire prévue à son intention.

Avec la déposition de Gilbert Simonet, l'enquête du juge Jean-Pierre prend la dimension d'une affaire d'État. Parti d'un licenciement et d'un accident du travail, le dossier est maintenant dans la cour de l'Élysée. Il est clair que s'il n'avait pas été l'ami du président, Pelat n'aurait pas pu soutirer autant d'argent, en monnayant son influence. Le juge se doit d'élargir le champ de ses investigations. Son enquête ne fait que commencer. Il lui faut retracer le chemin de l'intervention de Roger-Patrice Pelat. Savoir si elle a été directe. Ou si elle a utilisé un ou plusieurs relais. Ceux-ci se situaient-ils chez le Premier ministre de l'époque, Laurent Fabius ? Ou à l'Élysée ?

Pour répondre à ces questions volcaniques, le magistrat décide de « procéder à l'environnement financier complet de Roger-Patrice Pelat ». Autrement dit, il se fait communiquer la liste de tous les comptes détenus par l'intéressé dans les établissements financiers ; il recense ses participations financières et activités commerciales, inventorie ses mouvements de fonds, dresse son patrimoine et reconstitue son évolution. La routine dans toute enquête de ce type. Cette initiative, le juge Édith Boizette ne l'a pas prise, de 1989 à 1993, dans le cadre de l'instruction du dossier Pechiney.

Le 4 février 1993, une perquisition dans les locaux de la Coface permet de retrouver le dossier Corée du Nord. Y figure une lettre du 4 décembre 1984, du Premier ministre Laurent Fabius. Le chef du gouvernement donne l'ordre au ministre des Finances, Pierre Bérégovoy, d'accorder la garantie Coface à l'opération CBC-Corée :

« Il semble, relève le juge, que Pierre Bérégovoy ait écrit à la main, sur la lettre, à l'intention de son directeur de cabinet, la mention " toujours plus ! " »

Publiée par *Paris-Match*, le 18 février 1993, une autre lettre adressée par Pierre Bérégovoy à Laurent Fabius, le 6 septembre 1986, déconseille fermement l'octroi d'un crédit garanti par la Coface. Par ailleurs, toujours dans *Match*, un responsable de l'établissement confie :

« C'est la présidence de la République qui a demandé que la Coface prenne le projet en garantie. »

Les conclusions du juge Thierry Jean-Pierre vont dans le même sens :

« Il est par conséquent probable que les assurances données par Roger-Patrice Pelat à M. Simonet, au début des relations commerciales CBC/Corée du Nord, aient été suivies par une intervention de Roger-Patrice Pelat au plus haut niveau et aient abouti à la lettre du Premier ministre de l'époque. »

En d'autres termes, l'intervention demandée par Pelat est partie de l'Élysée pour arriver à Matignon. Mais qui, à la présidence de la République, s'est occupé de l'affaire ? Un ancien conseiller technique de Laurent Fabius explique :

« Les personnes concernées par ce dossier à l'Élysée étaient, à l'époque, M. Alain Boublil à l'Industrie, Mme Elisabeth Guigou pour le Commerce extérieur et M. Hubert Védrine pour la diplomatie. »

Défilent maintenant dans le cabinet du juge les entrepreneurs, à qui ont été confiés les travaux offerts à Pelat. L'un d'eux, Daniel Baudel, déclare :

« J'avais conscience, évidemment (...), qu'il s'agissait d'un mécanisme frauduleux. (...) À l'époque, lorsque j'ai appris qu'il s'agissait de M. Pelat, l'ami du président de la République, je me suis senti moins coupable car cela venait de très haut. »

Dieu, es-tu là ?

Un autre entrepreneur, Léon Prochasson, va plus loin. Il se souvient des propos tenus par Roger-Patrice Pelat à propos de CBC. « Monsieur le vice-président » lui a confié :

« Compte tenu de la commission qu'ils me doivent, ils auraient pu me payer toute la propriété de L'Écheveau et les 20 millions et quelques de travaux. »

Au juge Jean-Pierre, Léon Prochasson ajoute :

« Je dois également dire que M. Mitterrand était l'ami de M. Pelat et que je ne pouvais pas ne pas avoir confiance en M. Pelat. J'ai même participé à une chasse avec M. Mitterrand et M. Pelat notamment. »

Mis en examen, comme Gilbert Simonet et tous les autres, Léon Prochasson fait ici référence à une chasse organisée par Roger-Patrice Pelat dans les huit cents et quelques hectares de son royal territoire, à La Ferté-Saint-Aubin, au sud d'Orléans.

Incidemment, au cours de l'instruction, le juge Jean-Pierre met au jour une autre affaire de corruption initiée par Roger-Patrice Pelat. Cette fois, CBC et Gilbert Simonet n'y sont pour rien. Ce nouveau dossier atteste que Pelat démarche tous azimuts, fait feu de tout bois. P-DG et propriétaire de JAF, une entreprise en pleine expansion du bâtiment et des travaux publics, José Azévédo reconnaît « avoir fait payer par sa société des travaux réalisés sur les propriétés solognotes de Christian Pellerin et Roger-Patrice Pelat ». À Philippe Manière, du *Point*, qui l'interroge, José Azévédo précise : « Ce sont, en fait, des sous-traitants de JAF, choisis par Pelat, qui ont effectué ces travaux. » Au juge, il assure :

« Il s'agissait d'investissements commerciaux. D'ailleurs j'étais persuadé que Christian Pellerin et Roger-Patrice Pelat m'avaient favorisé, par rapport à mes concurrents, dans l'obtention de plusieurs marchés, à cause de ces " services rendus ". »

José Azévédo parle de deux opérations, au moins, que JAF a soumissionnées avec succès. La première : le gros œuvre (70 millions de francs) du nouveau siège du groupe Rank Xerox à Saint-Ouen, livré en

1991, pour un montant total de 286 millions de francs. L'autre, la Pacific Tower, une tour de La Défense... le fief de Pellerin.

Les travaux gratuits offerts en contrepartie à Pelat, par l'entreprise JAF, représentent la coquette somme de 11,951 millions de francs, qui s'ajoutent aux 25 millions déjà extorqués à CBC.

Total identifié, rien que pour les extérieurs du domaine de L'Écheveau : 37 millions de francs !

Comme d'habitude François Mitterrand n'a rien vu venir. Le pouvoir rend aveugle.

« Et l'amitié... complice, monsieur le président de la République ? »

Amis lecteurs, relisez donc *Le Coup d'État permanent...*, toutes les vertueuses sentences, politico-dépassées, de feu François la Pudeur !

Interrogé par le juge sur la raison de ses largesses, le patron de JAF répond :

« J'investissais sur Roger-Patrice Pelat et ses relations personnelles. »

José Azévédo en a eu pour son argent. En 1988, Roger-Patrice Pelat lui arrange une rencontre avec le président, en l'invitant à une réception au musée de l'Homme. L'homme du bâtiment peut serrer la main propre (et en or) de François Mitterrand.

L'étude des comptes bancaires de Roger-Patrice Pelat réserve d'autres surprises. L'ami le plus proche du tombeur de la « droite corrompue », champion toutes catégories des discours sur les inégalités sociales, est titulaire de nombreux comptes. On les trouve :

• À la Société Générale, l'établissement contre lequel Mitterrand lance ses « golden papies », lors du raid avorté de 1988, pour lequel plusieurs de ses amis — par exemple, l'ancien patron milliardaire de L'Oréal, François Dalle, décoré de la Légion d'honneur à l'Élysée — se retrouvent inculpés pour « délit d'initiés ».

• Au Crédit Agricole.

• À la BNP, dont le P-DG René Thomas est, lui aussi, un fidèle de l'Élysée... où officie son amie, la conseillère Laurence Soudet, gardienne des maisons du roi.

• À la banque Worms.

• Chez l'agent de change Rondeleux.

• À la banque Hottinguer.

• Dans la société de bourse Schelcher.

• Enfin, et surtout, dans la brillante Compagnie parisienne de placement (CPP) de Max Théret, dit, dans le milieu, « Max le magnifique » ou « Max les yeux cousus », depuis sa merveilleuse prestation dans l'affaire Pechiney... où il a été inculpé et sévèrement condamné pour avoir fait le malin, en s'accusant, à tort et dans un premier temps, d'avoir fourni à Pelat le tuyau de bourse que celui-ci lui avait donné !

Nous sommes en avril 1993. En mars, les socialistes ont perdu les élections. Bientôt, le 1ᵉʳ mai à Nevers, le Premier ministre Pierre Bérégovoy va se suicider. Thierry Jean-Pierre a retrouvé son nom dans les comptes de Pelat. Le magistrat instructeur cherche toujours à savoir si l'inséparable ami du président Mitterrand n'a pas perçu une commission supérieure au montant qui lui a été communiqué par le président de CBC.

Y a-t-il eu d'autres intermédiaires ?

Dans cette hypothèse, Pelat a-t-il rétrocédé une partie de sa commission ?

Ces interrogations, Thierry Jean-Pierre les fait figurer dans son rapport. Mais il n'y répondra pas totalement. Son enquête sera interrompue par son départ du Mans. À la fin de 1993, il est contacté par un collaborateur du Premier ministre Édouard Balladur, pour être chargé à Paris d'une mission d'étude sur le blanchiment de l'argent sale. Courtoise... et cohabitationniste manière de se débarrasser du gêneur. À l'heure où j'écris ces lignes, son successeur au palais de justice du Mans n'est toujours pas désigné. Nous verrons bien s'il saura confirmer officiellement ce que chacun subodore à la lecture du récapitulatif auquel je procède ici. Je dis officiellement... car l'heure des comptes arrive.

Quel est donc cet État démocratique — la France —, qui permet à ses juges de poser les bonnes questions, mais ne leur donne pas les moyens d'y répondre, qui leur confère la puissance des mots, immédiatement annihilée par la faiblesse des Institutions... et du Droit ?

*Les jongleries planétaires
de la " Mitterrand-Pelat SA "*

En ce début d'année 1993, l'instruction, depuis Le Mans, du juge Jean-Pierre fait des ravages. Le 3 février, *Le Canard enchaîné* a dévoilé l'existence d'un prêt de 1 million de francs, sans intérêt, généreusement octroyé à Pierre Bérégovoy, en 1986, par Roger-Patrice Pelat. La trace de cette largesse a été décelée par le juge, lors de l'examen du compte de Pelat à la banque Hottinguer. Grâce à cet avantage, remboursable « *avant 1995* », Pierre Bérégovoy a pu régler une partie des 2,475 millions de francs, prix de son appartement de 100 m², rue des Belles-Feuilles à Paris, dans le XVIe arrondissement.

Le 18 septembre 1986, quand le prêt de Pelat est enregistré devant notaire, Pierre Bérégovoy n'est plus ministre de l'Économie, des Finances et du Budget. Depuis l'arrivée, en mars, de Jacques Chirac à Matignon, il est redevenu un simple député de l'opposition, maire de Nevers.

À quelques semaines des élections législatives de mars 1993 et du procès Pechiney qui doit débuter en mai, après une instruction bâclée, la révélation de ce

« *prêt/libéralité* » provoque un cataclysme. Bérégovoy panique. Sur l'instant, il en mesure les implications possibles. Au lieu d'attendre la fin de l'orage, à l'abri d'un prudent silence, le dernier des Premiers ministres socialistes de François Mitterrand s'empêtre dans des explications alambiquées et contradictoires. L'effet est désastreux. Consenti par un homme d'affaires à un ancien ministre des Finances — qui le redeviendra d'ailleurs en 1988 —, ce prêt sans intérêt s'apparente à un cadeau. Sans être démenti, je l'évalue alors à un minimum de 1,2 million de francs, montant des intérêts cumulés d'un prêt sur neuf ans.

Quoi qu'il se soit passé ensuite — remboursement anticipé ou pas —, Pierre Bérégovoy sait qu'il va immanquablement susciter questions et réprobations. Le Premier ministre comprend qu'il s'est mis dans un guêpier.

Dans *Le Monde*, le journaliste Edwy Plenel pose le problème. Il souligne que « les prêts d'argent, les avances, les garanties ou cautions » figurent à la page 10 du rapport final de la Commission de prévention de la corruption, mise en place par Pierre Bérégovoy, en troisième position parmi les dix questions auxquelles les « codes de déontologie » (recommandés par cette commission) devraient apporter « des réponses claires et aussi homogènes que possible ».

Présidée par le conseiller d'État Robert Bouchery, la Commission de prévention de la corruption ajoute :

« Ces questions ne sont ni mineures ni subalternes. Elles concernent la vie quotidienne des administrations publiques et des entreprises qui sont en relation avec elles. Les dérapages, les abus constituent des faits de corruption passive et active, dont la valeur économique est certes très variable, mais dont l'effet moral sur l'opinion publique est réel. »

Corruption : le mot est lancé. Des rapprochements se dessinent. À force de persévérance — ici le patient travail de magistrats résolus, là l'opiniâtreté de journalistes ou hommes politiques de tout bord et sans état d'âme —, le cancer qui ronge notre société trouve sa nouvelle victime. François de Grossouvre dit vrai quand, en privé, il accuse le président de la République qui, sciemment, a laissé le mal se répandre... « alors qu'il savait tout ».

L'affaire du prêt vient nourrir un dossier que j'ai ouvert il y a une dizaine d'années. Je dois ici en rappeler les grandes lignes, pour mettre en perspective les événements ultérieurs, ceux qui, petit à petit, empoisonnent littéralement les rapports entre le président et son ami.

C'est au début des années quatre-vingt que Grossouvre a commencé d'éveiller mon attention sur les agissements de « Monsieur le vice-président ». Au fil des ans, dans mes rayonnages, les classeurs sur le tandem Mitterrand-Pelat ont sensiblement grossi. Mis bout à bout, des éléments, apparemment sans liens, deviennent les révélateurs d'un réseau politique et d'affaires qui a pris corps bien avant 1981.

Grâce à nos propres investigations, aux enquêtes fouillées de journaux aussi variés que *Le Figaro, Le*

*Quotidien de Paris, Le Monde, Libération, Le Point, Paris-Match, Le Canard enchaîné, L'Express, Le Nouvel Observateur...*, grâce maintenant aux découvertes du juge Jean-Pierre, nous pouvons, enfin, procéder à une indispensable analyse rétrospective — celle que je livre ici. J'entends montrer comment ces « Messieurs du Château » se sont entendus, dès le départ, dès après la fin de la dernière guerre qui a scellé leur amitié, pour mêler affaires et politique. Dans des conditions, des circonstances et avec des méthodes qui, aujourd'hui, de toute évidence, relèvent de la compétence des tribunaux.

Voici donc leur vrai parcours dans ce que j'appellerai la « Mitterrand-Pelat SA ». Un système de poupées russes, une nasse meurtrière dans laquelle le malheureux Pierre Bérégovoy s'est trouvé pris, piégé... puis abandonné. Et à cause duquel, à son tour, bien que pour une raison inverse, François de Grossouvre, tout aguerri qu'il fût, va finir par perdre, avec cette même adoration pour la personne de François Mitterrand, son attachement à la vie.

Nous sommes en 1949, 34, rue de Miromesnil à Paris, VIII<sup>e</sup> : Roger-Patrice Pelat est détenteur de parts de la société Soprova, enregistrée à Rouen sous le n° B3 387 et dirigée par un ancien préfet. En quelques mois, cette SARL au capital de 4,5 millions de francs (anciens) dilapide une subvention gouvernementale de 50 millions. Ce n'est pas rien. Fin 1949, Soprava est en pleine déconfiture. Un administrateur judiciaire, Armand Gache, 22, avenue Victoria à

Paris, est nommé. En 1950, la société est liquidée et un concordat est signé, le 24 octobre. Jeune ministre, aux Anciens combattants et Victimes de guerre (1947-1948), puis à la présidence du Conseil, chargé de l'Information (1948-1949), François Mitterrand est secondé par son frère Robert, son directeur de cabinet, et par un autre vétéran du « réseau », Georges Beauchamp, l'un de ses conseillers occultes les plus proches, toujours en activité, aujourd'hui vice-président du Conseil économique et social, après une carrière dans la publicité.

À la même époque, l'ancien ouvrier communiste Roger-Patrice Pelat et le polytechnicien Robert Mitterrand s'associent dans les affaires. D'abord dans l'exportation d'équipements industriels, de machines-outils et de matériels miniers. Débuts hasardeux. Puis, en 1952, Robert Mitterrand devient conseiller du commerce extérieur de la France. Les deux associés s'installent rue de Montalivet, à Paris. Robert voyage beaucoup et l'autodidacte Roger-Patrice s'occupe de tout, « animé d'un grand esprit d'initiative ».

Arrive le 12 janvier 1953 : « Monsieur le vice-président » crée la société Patrice-Pelat Vibrachoc, spécialisée dans les mécanismes antivibratoires pour l'industrie. Il en est le directeur général et Robert Mitterrand son directeur associé. Pour brouiller les pistes, dans sa notice du *Who's who in France*, « Monsieur-frère » fait remonter à 1949 ses débuts dans Vibrachoc... qui naît quatre ans après.

Éclairante confusion. Que veut-on cacher ?

Enfin, en 1955, Robert Mitterrand quitte Vibrachoc pour voler de ses propres ailes. Et, le 30 septembre 1957, la SARL Vibrachoc se transforme en société anonyme. Pelat est son P-DG et principal actionnaire. À son conseil d'administration, il fait entrer une mystérieuse société dite Arfina, basée à Vaduz, la capitale de la minuscule principauté du Liechtenstein, opaque paradis fiscal entre la Suisse et l'Autriche. Arfina y a été créée, le 16 mars 1955, sous le nom d'Établissement d'intérêt financier pour les pays du Continent et d'Outre-mer. On finira par découvrir que cette société-écran n'a pas seulement pour prétendue tâche « l'étude, la recherche et le financement de brevets ». Elle détient, à ce titre, les licences de fabrication qui se rapportent aux amortisseurs produits par Vibrachoc. Tous les ans, l'entreprise de Pelat paie à Arfina des redevances pour leur utilisation. Perçu hors frontières, leur montant atteint jusqu'à 8 % du chiffre d'affaires des matériels fabriqués par la firme française. Classique évasion fiscale... dénoncée depuis toujours par les socialistes et le premier d'entre eux, François Mitterrand.

Le 31 janvier 1968, Pelat préside le conseil d'administration de Vibrachoc qui décide un emprunt de 100 000 francs pour l'acquisition d'un super Chris-Craft 31 Commander. Outil indispensable à l'activité de la société ! Sur les plages de Saint-Tropez ?

Dix jours après, le 9 février 1968, Arfina prend 44,44 % du capital de Vibrachoc : cette participation va pouvoir dormir à Vaduz, jusqu'à ce que l'ami François accède à la présidence de la République (française) et fasse reprendre Vibrachoc par une entreprise de l'État (français). Aboutissement logique d'un long parcours auquel le président Mitterrand ne saurait prétendre qu'il n'a pas été lui aussi associé.

Au tribunal de grande instance du Liechtenstein, le 13 février 1970, le docteur Karl Richter, « administrateur d'Arfina et délégataire de signature », certifie que Roger-Patrice Pelat est le seul propriétaire de cette société basée à Vaduz. Dûment timbrée par la juridiction de la principauté, l'attestation du docteur Richter est retrouvée par le juge Jean-Pierre, lors d'une perquisition, pendant l'été 1993, dans les archives de Vibrachoc.

Le 14 février 1973, nouveau temps fort : Roger-Patrice Pelat est à Zurich, en Suisse, dans les locaux de la banque Hottinguer. Huit jours auparavant, il lui a annoncé sa visite par l'intermédiaire du siège parisien de cet établissement. Un employé fait une note, retrouvée par le juge :

« Eu M. Pelat qui m'indique qu'il se rendra à Z [*Zurich*] le mercredi 14 février 1973. Z [*Zurich*] est prévenu. À cet égard, il serait utile d'avoir des codes pour passer ce genre de message. »

« Codes » ?

En effet, ces voyages pourraient beaucoup intéresser la Direction nationale des enquêtes douanières, la DNED, qui, à ma connaissance, ne s'est pas inquiétée du cas Pelat depuis la découverte, à partir de 1989, de ses fricardes escapades... à Zurich ou à Vaduz.

C'est chez Hottinguer, à Zurich, que Pelat

encaisse, sur les comptes n$^{os}$ 3 06 036 et 3 06 032, tous deux ouverts au nom de sa société-écran Arfina, les royalties ponctionnées en France dans la trésorerie de Vibrachoc.

Michel Guénot est le directeur financier, administratif et du personnel, de la société. Interrogé, il ne fait pas mystère des démêlés de Vibrachoc avec les Impôts. Heureusement, raconte-t-il, Pelat a le bras long :

« Des redevances étaient payées... mais je n'ai jamais pu avoir accès aux contrats. (...) En 1982 et 1983, Vibrachoc SA a fait l'objet d'un contrôle fiscal et le vérificateur a soulevé le problème des redevances payées à Arfina. Je n'avais pas de dossier à produire pour justifier ces paiements de redevance. (...) À sa demande, je tenais informé Roger-Patrice Pelat de l'avancement de la procédure du contrôle fiscal. (...) M. Pelat m'avait assuré personnellement qu'il n'y aurait aucune suite à ces vérifications. Ce que j'ai pu constater. »

Nous entrons, là, dans les secrets de l'organisation, promise aux Français par le candidat Mitterrand, d'un État enfin impartial. Comme Bernard Tapie[1], Pelat est aux avant-postes. Du côté des Finances... et de la DGI. Même son fils Olivier devient un intouchable. Dans la famille, on aime les Rolls. Celle de Roger-Patrice est métallisée or. Son aîné, Patrice, préfère le bleu ciel. En 1988, le petit dernier, Olivier, aura envie, lui aussi, de rouler carrosse : il jette son

1. Cf. *supra*, p. 127 à 139.

dévolu sur une Rolls-Royce Corniche, le modèle cabriolet de la marque, le plus cher et le plus recherché. Olivier Pelat l'achète — d'occasion — aux États-Unis, en Floride, chez Impex, la société d'un ancien garagiste belge reconverti dans l'export de voitures de collection. Mais celui-ci, pour alléger les factures de ses clients, minore les taxes douanières, par un savant stratagème. Achetée pour environ 330 000 francs, la Rolls Corniche d'Olivier Pelat est déclarée pour seulement 190 000 francs. Il n'y a pas de petits profits. En 1989, les Douanes françaises tombent par hasard sur Pelat junior, ainsi que sur douze autres clients d'Impex. Le dossier est transmis à la justice. Mais, par miracle (encore un !), le dossier d'Olivier est le seul à disparaître. Les autres fraudeurs ont moins de chance : ils sont jugés, en 1993, par le tribunal de Nanterre. Et Michel Charasse, ministre du Budget et de tutelle des Douanes, répond :

« Je n'ai aucun souvenir de ce dossier : de toute façon, je n'ai pas l'habitude d'intervenir dans ce genre d'affaires. »

Qui alors ? Pierre Bérégovoy, alors ministre des Finances ? Quelqu'un à l'Élysée ? Personne ?

Mais revenons à Arfina, la clé de voûte du système Pelat and Cº. Le 18 octobre 1973, sa société de Vaduz consent un prêt de 180 000 francs suisses — environ 720 000 francs français — à International Vibration Engineering (IVE), une SARL créée par l'entreprenant ami de Mitterrand, trois ans plus tôt, le 30 septembre 1970.

Selon l'administration des impôts, IVE, tout comme Arfina, perçoit d'importantes commissions de Vibrachoc. Là encore, au titre de royalties provenant de la concession de brevets déposés par Pelat au nom d'IVE. En d'autres termes, en sa qualité de sous-marin de Pelat à Vaduz, Arfina devient créancier d'IVE qui, elle aussi, vit de Vibrachoc.

Aussi simple et limpide que le « socialisme à la française ».

Le 1er décembre 1978, Roger-Patrice fait mouvement, en cédant ses parts dans IVE à ses deux fils, Patrice et Olivier. Michel Guénot est formel : IVE n'est « ni plus ni moins qu'une société parasite ». Elle sert à la famille Pelat pour prélever dans Vibrachoc salaires et avantages en nature. En fait, précise-t-il, les brevets d'IVE sont créés avec les moyens financiers et les ingénieurs de Vibrachoc, pour qu'IVE puisse toucher des royalties de Vibrachoc. Principe des vases communicants. Le filon est miraculeux. Ainsi, Vibrachoc verse à IVE :

- 1,265 million de francs en 1980.
- 1,417 million en 1981.
- 749 000 francs en 1982.

De plus, Pelat — dont François Mitterrand est le « *conseil* » — dispose de tout un réseau de filiales à l'étranger : Vibrachoc Do Brasil; Associated Dampers au Luxembourg; Vibrachoc Italiana; Vibrachoc Espagne; Stop Choc Gmbh en Allemagne, etc. Autant d'entités juridiques où nous retrouvons l'arsenal infernal de la délinquance financière en col rose : prêt déguisé ; fausse facture ; étude fictive ; coquille vide...

Dans ces disciplines acrobatiques, Roger-Patrice Pelat est un artiste. Tandis que son ami Mitterrand se fait élire contre les puissances d'argent, « qui veulent tout et de toutes les manières », il utilise dans son « industrie » toutes les ficelles des paradis fiscaux, celles qui permettent d'échapper à l'impôt, tout en vivant des sociétés dont il est propriétaire en France... ou ailleurs.

Pelat n'a pas attendu que Pierre Bérégovoy soit aux Affaires pour expérimenter le coup du « faux prêt ».

Avec lui, bien avant 1981, la fraude fiscale n'a pas de frontière. L'une de ses plus belles opérations lui permet d'arnaquer même les Impôts anglais et brésiliens.

En 1980, il lui faut renflouer Vibrachoc Do Brasil, victime d'une grave hémorragie financière, en raison de son fort endettement et de l'inflation qui sévit dans ce pays d'Amérique latine. Pour limiter les risques de sa maison mère, Vibrachoc France, Pelat crée à Monrovia, la capitale du Liberia, la société Associated Dampers. Il fonde également au Luxembourg — autre paradis fiscal — la société fiduciaire Tresco Services. Enfin, le 29 février 1980, est fondé Stop Choc International, holding de droit luxembourgeois, dont le capital est détenu par Stop Choc Ltd et Stop Choc Gmbh, les deux filiales anglaise et allemande de

Vibrachoc, de même que par Arfina, la société de Pelat au Liechtenstein. Une fois mis en place, ce savant dispositif est utilisé pour semer les agents du fisc, à Paris, à Londres et à Sao Paulo. Après des allées et venues de fonds insensées, de l'une à l'autre, cette cascade de sociétés acquiert d'abord 49 % du capital de Vibrachoc Do Brasil. Pour complexe qu'il soit, ce montage ne suffit pas. Pelat imagine alors un « arrangement » entre sa filiale sud-américaine et les usines Chausson, lesquelles souhaitent rapatrier en France des liquidités bloquées au Brésil, en raison de la législation locale. De son côté, Vibrachoc envisage l'achat d'un système de pilotage numérique aux États-Unis. D'où l'« arrangement » suivant avec Chausson :

• Vibrachoc Do Brasil fait payer, grâce une fausse facture, une étude fictive à Chausson Brésil pour... 2 millions de francs.

• Stop Choc Ltd (Grande-Bretagne), Stop Choc Gmbh (Allemagne) et Arfina (Liechtenstein) investissent 100 000 dollars dans Associated Dampers (Liberia), laquelle achète le système de pilotage numérique aux États-Unis.

• Ce système est immédiatement revendu le double de ce prix, pour 200 000 dollars, par Indosuez Luxembourg (gérant de Stop Choc International), qui le recède tout de suite, pour 300 000 dollars, à Stop Choc Ltd.

• Filiale anglaise de Vibrachoc, Stop Choc Ltd loue ensuite ce matériel à Vibrachoc France, pour trois années, moyennant un loyer total de 2,617 millions de francs, tandis qu'Associated Dampers paie 200 000 dollars à Chausson France par l'entremise de la Banco Real, à Londres.

Clair comme de l'eau de roche !

Le juge remarque :

« Compte tenu des législations fiscales en vigueur en Grande-Bretagne et au Brésil, ce sont ces deux pays qui ont été finalement lésés : le fisc brésilien parce que Vibrachoc Do Brasil n'a pas payé l'impôt sur les sociétés correspondant aux 2 millions de francs de l'étude fictive et le fisc anglais, à cause des règles fiscales très favorables liées aux amortissements. »

En 1982, lorsque Vibrachoc est reprise par Alsthom, les dirigeants de l'entreprise alors nationalisée tombent, ébahis, sur ce tropical montage. Et, en 1991, Pierre Suard, le nouveau P-DG d'Alcatel Alsthom (privatisée), demande que lui soit communiqué l'épineux dossier de l'acquisition de Vibrachoc. Datée du 27 septembre 1991, une note lui est transmise :

« Tout cela est maintenant prescrit et je pense qu'il vaut mieux détruire ce dossier [*Vibrachoc*], mais je vous laisse le soin d'en décider. »

Pierre Suard n'est pas fou. Depuis l'éclatement du scandale Pechiney, le nom de Vibrachoc résonne comme un grelot. Aussi, rien ne sera détruit. Et le juge Jean-Pierre pourra tout retrouver.

Parfois, ce recours systématique aux paradis fiscaux ne va pas sans susciter quelques questions de l'administration française. Pelat en fait son affaire.

Même avant 1981 et l'arrivée de son « *conseil* » à l'Élysée, il dispose de puissants alliés socialistes dans l'administration, pour dissuader les curieux. Ainsi, en 1980, Vibrachoc bénéficie, auprès du Cidise, d'un prêt participatif de l'État, à hauteur de 1 million de francs. Bien qu'étranger à la conception des circuits frauduleux de Pelat, Michel Guénot se trouve aux premières loges :

« Les fonctionnaires chargés de l'instruction de ce dossier, explique-t-il, avaient été choqués par la participation au capital de Vibrachoc de la société Arfina domiciliée au Liechtenstein... La difficulté résidait dans le fait que les réponses que Vibrachoc pouvait faire sur la personnalité des actionnaires d'Arfina étaient jugées trop évasives par le Cidise. À ce niveau de question, c'est Roger-Patrice Pelat lui-même qui contactait les interlocuteurs du Cidise... J'ai su à cette époque qu'il y avait eu intervention de responsables politiques. »

Entendu à sa demande, pour la deuxième fois, l'ancien directeur financier de Vibrachoc souhaite donner une intéressante précision. Aux enquêteurs il déclare :

« J'ai le souvenir qu'au début de l'année 1980, un transfert de provisions, pour frais, a été fait sous la forme de mise à disposition, dans une banque de Lausanne [*Suisse*] pour M. François Mitterrand lui-même. Par contre, je ne me souviens pas si ce transfert a été fait à partir d'un compte personnel de M. Pelat ou d'un des comptes de la société Vibrachoc. Je ne me souviens plus du montant, mais il devait être de l'ordre de 7 000 à 8 000 francs français. C'est le seul transfert que j'ai pu remarquer, mais je pense qu'il y en a eu d'autres avant, vu les relations très amicales de ces deux personnes. »

Le magistrat instructeur n'en saura pas plus. Sauf que François Mitterrand touche, en Suisse, de l'argent provenant de France et de Pelat. Encore un mauvais indice !

Conformément à la loi, les pièces comptables de Vibrachoc, antérieures à 1981, ont été détruites. De même que les documents bancaires afférents aux comptes personnels de Roger-Patrice Pelat. Le juge arrive trop tard.

Dans cette instructive rétrospective, le futur président de la République a sa place. Durant la période 1972-1981, pendant toutes ces folles années de fraudes planétaires — grâce à Arfina, sa société au Liechtenstein, et ses géniaux brevets « antivibratoires » —, Roger-Patrice Pelat, patron de Vibrachoc, rémunère un « conseiller juridique » hors pair. Il s'appelle François Mitterrand.

Entre deux réunions avec Georges Marchais, pour préparer les lendemains qui chantent, le premier secrétaire du Parti socialiste, signataire du Programme commun de la Gauche, trouve le temps de mettre discrètement son talent d'avocat, expert en amortisseurs, au service de Vibrachoc. Il est mensualisé. Pieusement conservés par l'administration fiscale sur les déclarations annuelles de Vibrachoc dites « DAS 2 », au centre des impôts de Saint-Cloud, 20, boulevard de la République, les émoluments retrouvés de François Mitterrand chez Vibrachoc sont de :

- 17 000 francs en 1972 ;
- 18 000      en 1973 ;
- 60 000      en 1975 ;
- 36 000      en 1976 ;
- 30 000      en 1977 ;
- 72 000      en 1979 ;
- 60 000      en 1980.

La « DAS 2 » de 1974 a été égarée. Et aucun versement n'est déclaré en 1978.

Ces honoraires versés à François Mitterrand, Michel Guénot n'a jamais pu les justifier aux services fiscaux, de même que les redevances versées à Arfina. Au juge, l'ex-directeur financier de Pelat précise :

« En ce qui concerne François Mitterrand, je n'ai jamais eu connaissance de factures d'honoraires et les sommes portées au regard de son nom sur les DAS 2 ne correspondent à aucune prestation réelle [sic]. Il s'agit d'un cadeau fait par M. Pelat à M. Mitterrand. »

Cette version des faits est plutôt rassurante. Les Français seraient peinés d'apprendre que le chef de l'État a été payé pour mettre sa matière grise au service de Pelat et de ses montages frauduleux :

- abus de biens sociaux ;
- évasion et fraude fiscale ;
- infraction à la législation sur les changes ;
- faux et usage... et j'en passe.

Qu'en pense le principal intéressé ?

À l'Élysée, en réponse au rapport Jean-Pierre dont

LES JONGLERIES PLANÉTAIRES 219

*Le Point* parle pour la première fois, le 24 décembre 1993, le président de la République se lance dans un commentaire amusant, façon Bernard Tapie. Le jour même, à l'heure du réveillon et de la dinde aux marrons, il fait diffuser un communiqué qui se veut un démenti, mais qui confirme tout :

« Aucune de ces informations ne concerne la période postérieure à l'élection du 10 mai 1981. En ce qui concerne la période antérieure, il ne pourrait s'agir que des activités professionnelles de François Mitterrand en sa qualité d'avocat au barreau de Paris, qui n'ont jamais été mises en cause auparavant et auxquelles il a renoncé dès son accession à la présidence de la République. »

On admire le conditionnel et la référence au barreau de Paris, où François Mitterrand conserve effectivement une toque (boîte aux lettres), mais où on ne l'a jamais vraiment vu que le jour où, en pleurs, il a été inculpé d'outrage à magistrat... dans la minable affaire de l'Observatoire, à l'automne 1959. En outre, le président de la République énonce une contre-vérité quand il affirme, à propos des « informations » contenues dans le rapport Jean-Pierre, qu'elles ne visent pas la période postérieure à son élection du 10 mai 1981. Que fait-il du rachat de Vibrachoc par l'État sur ordre de l'Élysée, en juillet 1982 ? Que fait-il de l'argent versé par Vibrachoc sur le compte de son fils, jusqu'en 1989 ? Que fait-il du chèque qu'il a encaissé de Roger-Patrice Pelat, le 6 septembre 1988, peu avant que Pelat s'illustre avec les spéculateurs initiés de l'affaire Pechiney ?

Quand, le 10 mai 1981, François Mitterrand débarque à l'Élysée, son fils Gilbert investit Vibrachoc à sa place. La famille veut conserver ses petits avantages. Car Pelat garde le gras pour lui. En France, « Monsieur le vice-président » est un avare.

Élu député socialiste de la Gironde, l'enseignant Gilbert Mitterrand hérite illico du forfait jusque-là alloué par Vibrachoc à papa.

La gauche est au pouvoir. La vie devient plus chère et le forfait annuel progresse. Il est, pour Gilbert Mitterrand, de :

- 56 448 francs en 1981 ;
- 84 670     en 1982 ;
- 84 672     en 1983 ;
- 71 392     en 1984 ;
- 84 672     en 1985 ;
- 84 679     en 1987 ;
- 84 672     en 1988 ;
- 28 224     en 1989 [1].

Au début, le député Gilbert Mitterrand fait mine de s'inquiéter de cet argent qui lui tombe du ciel. Il invite Michel Guénot à déjeuner, au restaurant du Palais-Bourbon. Question naïve :

« Quel travail dois-je effectuer pour justifier ces versements ?

— Suivez l'exemple de votre père, surtout ne faites rien. »

---

1. En 1989, Gilbert Mitterrand perd son forfait annuel... avec la mort de Roger-Patrice Pelat et le scandale Pechiney pour lequel « Monsieur le vice-président » s'est retrouvé inculpé. Preuve, s'il en est, que ces versements de Vibrachoc aux Mitterrand n'avaient rien de licite.

Au juge Jean-Pierre, le directeur financier de Vibrachoc en dit davantage :

« Gilbert Mitterrand, quant à lui, facturait des prestations mensuelles à hauteur de 7 500 francs hors taxes. Ces prestations étaient fictives. (...) Je n'ai jamais vu de documents me permettant de dire qu'il y avait eu prestations de conseils concernant cette société [*Vibrachoc*]. Il s'agissait là d'un moyen détourné pour assurer une rente amicale de Roger-Patrice Pelat à M. Mitterrand. »

Voilà pourquoi, dans la conclusion de son rapport envoyé au procureur de la République, « pour ses réquisitions », le juge écrit qu'« il résulte de l'examen du dossier l'existence de présomptions graves » contre le chef de l'État et son fils. Le magistrat vise « l'abus de biens sociaux (...) ainsi que le recel (le paiement de faux honoraires par Vibrachoc à MM. François et Gilbert Mitterrand : respectivement 293 000 francs de 1972 à 1980, et 579 429,92 francs de 1981 à 1989) ».

Enfin, le juge ne manque pas de noter la générosité de Pelat envers plusieurs associations. Il verse :

• 100 000 francs et 50 000 francs le 2 mai 1985, 150 000 francs le 5 mars à l'Association pour l'étude et l'évolution de la France ;

• 100 000 francs le 23 mai 1986 à Cause commune.

• 8 000 francs le 1er août 1988 à Majorité 88, jamais enregistrée.

• 100 000 francs le 10 février 1989 à l'Association du 21 juin (avec au dos du chèque la mention « soutien »).

Des investigations entreprises, il ressort que l'association Cause commune est présidée par Danielle Mitterrand, la femme du président. Son trésorier est François Hollande, le compagnon député de l'ancien ministre socialiste Ségolène Royal, la préférée du président, aujourd'hui député. L'Association pour l'étude de l'évolution de la France a été fondée par Jean Védrine, père de l'actuel secrétaire général de l'Élysée, Hubert Védrine, ami de François Mitterrand depuis la guerre... et, comme lui, décoré de la Francisque (n° 2 172) du maréchal Pétain, avant d'appartenir au MNPGD, le Mouvement national des prisonniers de guerre et des déportés de François Mitterrand. Le MNPGD fut illégalement « assimilé à une unité combattante au titre de la Résistance intérieure française, pour la période du 22 mars 1944 à la Libération [!] », par un arrêté du ministre socialiste de la Défense Paul Quilès, quarante-deux ans plus tard, le 5 mars 1986, juste avant le retour de la droite au pouvoir, le 16 mars[1]. Cet arrêté Quilès est finalement cassé par les sages du Conseil d'État, en 1991, sur requête du colonel Francis Masset, président de la Commission des résistants, chargée des homologations. On s'interrogera longtemps sur l'acharnement de François Mitterrand à vouloir faire classer son mouvement de prisonniers de guerre, comme « résistant ». De la dernière heure? Tel est, du

---

1. Arrêté Quilès du 5 mars 1986, paru au *J.O.* du 17 mars et inséré au *Bulletin officiel des armées*. Il est cassé par le Conseil d'État en 1991, car signé sur la base de documents inexacts.

moins, ce qui ressort de l'historique arrêté Quilès, en date du 5 mars 1986.

En janvier 1982, François Mitterrand ne pense pas à la guerre. À l'Élysée depuis sept mois, la compagnie de Pelat lui est indispensable :

« Patrice, prends du champ avec Vibrachoc et viens m'aider à l'Élysée. Toi, au moins, tu connais la vie des entreprises, les P-DG, la réalité des affaires. Tu me seras plus utile que tous ces conseillers qui ne sont jamais sortis de leur bureau. »

La suggestion tombe à pic. Vibrachoc bat de l'aile et Roger-Patrice Pelat, qui a le cœur fragile, ne serait pas mécontent de se retirer à bon prix. Il convoque ses proches collaborateurs :

« Je suis fatigué. Je vais essayer de vendre. Mes fils ne reprendront jamais l'affaire. Ce n'est pas leur truc. Préparez-moi une évaluation de Vibrachoc. »

Reste à trouver le pigeon. On pense d'abord à Thomson, où Alain Gomez, ami du ministre Jean-Pierre Chevènement, vient d'être nommé. Refus catégorique du P-DG. Pour lui, l'affaire ne vaut pas tripette et il ne se laisse pas faire.

Qu'à cela ne tienne : on se rabat sur Alsthom. La filiale de la Compagnie générale d'électricité (CGE) vient d'être nationalisée par le gouvernement de Pierre Mauroy. Son ancien P-DG, Ambroise Roux, a été remplacé par Jean-Pierre Brunet, avec, à ses côtés, comme directeur et véritable patron, Georges Pébereau, le futur raider spéculateur de l'affaire Société Générale, qui convoite la place de son président et finira par l'obtenir. De premiers contacts sont pris. Là aussi, Vibrachoc ne suscite guère d'enthousiasme. Bien au contraire. Dans une note « très confidentielle » du 18 février 1982, les services d'Alsthom rejettent le dossier :

« En conclusion, écrivent-ils, nous estimons qu'il n'est pas de l'intérêt d'Alsthom de donner suite à cette proposition. »

Le 8 mars 1982, la direction du contrôle de gestion d'Alsthom affiche la même position :

« La situation financière de Vibrachoc-France n'est pas satisfaisante... Ceci veut dire que l'acquéreur éventuel de ce groupe serait très rapidement obligé d'en améliorer les fonds propres. »

Une autre note négative est retrouvée. On y lit :

« L'affaire Vibrachoc n'a aucun intérêt au-delà de 60/65 millions de francs sous réserve préalablement de pouvoir appréhender précisément les résultats après impôts. »

Cependant, petit à petit, insensiblement, la fin de non-recevoir initiale s'oriente vers une position plus souple. On négocie.

Le 30 avril 1982, nouvelle note encore très circonspecte, mais plus favorable. Elle est rédigée à la demande de la direction générale de la CGE, qui dévoile les prétentions exorbitantes de Pelat. L'ami du président n'est plus à Vaduz. Il est dans les nuages :

« Compte tenu du fait que Vibrachoc pourrait apporter à Alsthom une ouverture sur le marché de l'aéronautique, la valeur admissible de l'ensemble du groupe Vibrachoc serait finalement de 90 millions de francs. C'est pourquoi, compte tenu du fait que les propriétaires actuels, qui avaient évalué initialement l'affaire à 170 millions de francs, restent maintenant fixés sur un prix de 110 millions de francs... et que l'acquéreur éventuel sera très rapidement obligé à une mise de fonds supplémentaire de 15 millions de francs, Alsthom ne serait disposé à prendre que 50 % au maximum du capital, les 50 % restants devant être détenus par les banques. »

Ainsi, non content de ponctionner une entreprise que l'État vient d'acheter avec l'argent des contribuables, on en appelle au Crédit Lyonnais et à la BNP. Les deux grandes banques nationalisées n'ont rien à refuser au nouvel État PS. Elles aussi sont mises à contribution.

En avril 1982, Roger-Patrice Pelat prévient Michel Guénot : la vente à Alsthom n'est plus qu'un problème de formalités. Il faut régler les derniers détails avec le secrétaire général de l'acheteur, M. Legrand. L'accueil est glacial. Visiblement, chez Alsthom, on n'est pas sur la même longueur d'onde. En peu de mots, le représentant du groupe explique que « l'acquisition de Vibrachoc ne présente aucun intérêt ». Averti, Roger-Patrice Pelat décroche immédiatement son téléphone. Il appelle Georges Pébereau... et Michel Guénot se souvient :

« Je n'ai pas entendu les propos de ce dernier, mais lorsque M. Pelat a raccroché, il m'a déclaré que tout était réglé. J'ai été amené à avoir plusieurs réunions avec M. Pelat. Et j'ai compris que des personnalités haut placées, au niveau de l'État, donnaient des instructions à M. Pébereau lui-même. Il s'agissait d'instructions émanant notamment de M. Pierre Bérégovoy, alors secrétaire général de l'Élysée et de M. Alain Boublil. Le nom de code donné à ces deux personnes par M. Pelat était les " 2 B ". M. Pébereau ne pouvait qu'exécuter les instructions qui provenaient de l'Élysée. »

Ensuite tout va très vite, les négociations sont menées tambour battant :

« Je tiens à préciser, continue Michel Guénot, que les modalités à mettre en place dans les plus brefs délais pour la vente de Vibrachoc ont été réglées par téléphone entre Messieurs Pelat, Bérégovoy, Boublil et Pébereau. À plusieurs reprises, je me suis retrouvé dans le bureau de M. Pelat et j'ai assisté à certaines de ses conversations téléphoniques qui se déroulaient dans un total climat de cordialité... C'est M. Pelat qui m'avait confié que M. Bérégovoy et M. Boublil étaient intervenus dans l'achat de Vibrachoc par Alsthom, pour réaliser la cession dans les plus courts délais, à la demande [sic] de M. François Mitterrand. Aussi, faut-il préciser qu'aucun audit n'a été fait avant la signature du protocole de vente et que tous les problèmes ont surgi après. »

Bientôt, les deux parties tombent d'accord sur le prix. La banque Hottinguer de Pelat est prévenue et, dans une note du 29 avril 1982, l'événement est annoncé :

« M. Pébereau nous confirme, à titre tout à fait confidentiel, qu'Alsthom, filiale de la CGE, acquiert effectivement la majorité du capital de Vibrachoc sur la base d'un prix global de 110 millions de francs. »

Cette fois, l'affaire est conclue. Honteuse transaction ! Du jamais vu dans l'histoire de la République !

Contre sa volonté, ses intérêts, et avec l'argent des Français, une entreprise nationalisée est contrainte de racheter au prix fort la société en péril du meilleur ami et financier du président de la République et de sa famille. Le premier mandat de François Mitterrand démarre sur les chapeaux de roue. Mais, pour énorme que soit cette première affaire de détournement de fonds publics, à hauteur de plusieurs dizaines de millions de francs, la « Mitterrand-Pelat SA » ne s'arrêtera pas là.

Est-ce pour fêter le premier anniversaire de l'arrivée de François Mitterrand au pouvoir que l'administrateur général (bientôt P-DG) de la CGE, Jean-Pierre Brunet, écrit à l'Élysée, le 9 mai 1982, un modèle de lettre ? Adressée à Pierre Bérégovoy, secrétaire général de la présidence de la République, ce courrier a le mérite de la franchise.

En couchant ces lignes sur le papier, Brunet ne se rend peut-être pas compte qu'il laisse la trace indélébile d'un vol — quel autre mot choisir pour qualifier ce brigandage ? —, ordonné par Mitterrand au profit de Pelat.

Archivé à la présidence de la République, ce document pour l'Histoire est accablant. Son analyse montre qu'aucun des décisionnaires ou intervenants dans l'opération Vibrachoc — je veux parler de

Georges Pébereau et Jean-Pierre Brunet à la CGE, Jean Deflassieux au Crédit Lyonnais, René Thomas à la BNP, des « 2 B » Alain Boublil et Pierre Bérégovoy à l'Élysée, de Jacques Delors aux Finances, Pierre Mauroy à Matignon et enfin François Mitterrand à la tête de la France — n'est dupe de ce qui se passe réellement. Personne n'élève la voix pour s'opposer à une transaction que tous savent scélérate.

À la CGE, Jean-Pierre Brunet, ancien ambassadeur, demande à Pierre Bérégovoy, en termes diplomatiques, de lui procurer, sur fonds publics, les millions nécessaires pour l'achat contraint de Vibrachoc. Il subordonne son acceptation à l'obtention de ces capitaux par la CGE :

« Monsieur le Secrétaire général, j'aimerais attirer votre attention sur une question urgente dont l'importance non seulement financière mais politique ne vous échappera pas. La CGE... a besoin de fonds propres... ayant été nationalisée, [elle] n'a pas encore obtenu de son actionnaire désormais unique, l'État, les fonds propres dont elle a besoin... Je vous laisse juge de l'opportunité d'informer de ceci Monsieur le président de la République, si vous l'estimez utile. »

Le président lui-même ? Le chef de l'État surveille-t-il pareillement tous les actes de gestion des multiples sociétés contrôlées par l'État ? D'où vient ce subit intérêt ? Et que veut dire Brunet quand il parle de « question urgente dont l'importance non seulement financière mais politique (!) ne vous échappera pas » ?

Et que dire du post-scriptum, complément indis-

pensable et opportune explication de ce qui précède :
« PS : L'affaire Vibrachoc est sur le point d'être
réglée, mais l'achat de cette société est lui aussi
conditionné par l'accroissement des fonds propres » ?

À l'Élysée et à Matignon, le message de Jean-
Pierre Brunet est reçu cinq sur cinq. Pour la première
fois depuis la nationalisation de l'entreprise, l'État
décide d'augmenter le capital de la CGE. Un an
après le rachat de Vibrachoc par Alsthom, le 26 mai
1983, une première dotation en capital de 21 millions
de francs est effectuée, suivie d'une seconde tranche
du même montant, le 22 septembre. Au total :
42 millions de francs. À peu près la différence entre le
prix exigé par Pelat (110 millions) et le montant
considéré par Alsthom comme le maximum raisonnable (60 à 65 millions). Et à peu près la quote-part
d'Alsthom.

Pendant ces discussions de marchands de tapis, le
patron de la CGE n'est pas le seul à mettre involon-
tairement les pieds dans le plat. Le 10 juin 1982, le
président socialiste du Crédit Lyonnais, Jean Deflassieux, fait à son tour, dans un document retrouvé, un
aveu compromettant :

« Compte tenu des conditions d'intérêt national
dans lesquelles se situe cette prise de participations,
et malgré son prix élevé, je vous donne mon accord
pour que le Crédit Lyonnais y participe à hauteur de
24,5 %. »

Fantastique langue de bois des « apparatchiks » du
PS. Pour ce banquier militant, placé par son ami

Pierre Mauroy à la tête de la première banque française, les exigences financières de Pelat et les libéralités de François Mitterrand à l'égard de son protégé sont « d'intérêt national ».

Voilà comment le « prix élevé » d'un vol est érigé au rang des grandes causes de l'État. Comme l'aide aux handicapés.

Le juge a déterré d'autres preuves des interventions en faveur de Pelat, malgré les mises en garde administratives. Ainsi, au ministère des Finances, le service des participations de la direction du Trésor ne semble pas dans la confidence. Dans une note au ministre Jacques Delors, le 28 juin 1982, un imprudent écrit :

« Le prix global de la transaction a été fixé à 108 400 000 francs... prix qui paraît relativement élevé. »

En temps normal, aux Finances, cette mention entraîne au moins un réexamen du dossier. Mais Jacques Delors ne bronche pas. Le directeur adjoint de son cabinet donne son accord avec cette seule observation :

« Se procurer la liste des actionnaires d'Arfina. »

La société de Vaduz est en effet actionnaire de Vibrachoc à hauteur de 44,44 %. Avant de lui régler le prix de sa participation, le directeur adjoint du cabinet de Jacques Delors veut savoir qui en est le propriétaire. Il ne se rend pas compte qu'il met maladroitement le doigt sur le bouton de la bombe à retardement.

Arfina est le cœur du système Pelat. Bien entendu,

comme nous venons de le voir, cette coquille vide, c'est lui. Rien que lui. Mais le reconnaître, dans un courrier au ministère des Finances, est impossible : il s'agit d'un circuit créé justement pour frauder le fisc et se jouer des Douanes.

Pas gêné pour un sou, le compagnon de promenade du président de la République répond au cabinet de Jacques Delors par l'envoi d'une photocopie : la lettre d'Arfina, en date du 4 février 1980, celle où il est précisé que ses capitaux « sont d'origine suisse... à l'exclusion de tout intérêt étranger ou américain ».

Pieux mensonge là encore. Car le Liechtenstein n'est pas une principauté suisse. Et les capitaux de Pelat chez Arfina sont bien d'origine française, puisqu'ils sont le produit de sommes soustraites à l'impôt en France et de redevances de complaisance extorquées à Vibrachoc pour de prétendus brevets. D'ailleurs, pendant le premier semestre de 1982, le directeur financier Michel Guénot attire l'attention de Roger-Patrice Pelat sur la participation d'Arfina dans Vibrachoc. Elle n'a, s'alarme-t-il, « jamais fait l'objet d'une déclaration auprès de la direction du Trésor ». À ce moment, Michel Guénot découvre le pot aux roses :

« M. Pelat m'a répondu qu'il allait effectivement s'en inquiéter et j'ai pu lire, quelques jours plus tard, ce courrier signé de M. Fabius [*alors ministre du Budget dans le gouvernement Mauroy*] régularisant la situation... À ce moment-là, j'ai compris que la nature des interventions de M. Pelat, au plus haut niveau de l'État, était très efficace. »

Au ministère des Finances, l'embarras est grand. Elliptiques, les informations apportées sur Arfina sont loin de suffire. Mais, suivi par l'Élysée, le dossier est sensible. On marche sur des œufs.

Le 8 juillet 1982, le service des participations à la direction du Trésor capitule. Prudent, il dégage sa responsabilité... dans une note ainsi rédigée :

« Cette réponse ne fournit pas la liste... des actionnaires d'Arfina... qu'il serait nécessaire d'obtenir. Néanmoins, compte tenu de l'assurance ainsi renouvelée, de l'origine suisse des détenteurs du capital d'Arfina, et conformément aux instructions verbales [*sic*] données par le cabinet du ministre — que je serais obligé au ministre de bien vouloir me confirmer — mes services se préparent à donner les autorisations nécessaires à la cession. »

Le ministre des Finances Jacques Delors fait diligence. Le même jour, sans autre forme de procès, le directeur adjoint de son cabinet inscrit au bas de ce document la mention suivante : « *Accord 8/7/82.* »

Je retrouve, là, le même empressement que dans une autre sordide affaire, dont je conserve un lourd dossier : celle (en 1983-1984) des ministérielles fausses factures découvertes à la Caisse nationale d'assurance maladie par un contrôleur d'État envoyé se refaire une santé en hôpital psychiatrique, à coups de *neuf* électronarcoses (forme élaborée des électrochocs), histoire de lui faire perdre la mémoire... On fait célérité, car les copains de Pelat sont pressés d'encaisser leurs sous. En ces temps héroïques du socialisme vertueux et triomphant, le ministère des

Finances fonctionne comme le « bandit-manchot ». À ce jackpot, Pelat gagne à tous les coups. Et, très préoccupé par les menus problèmes des sociétés appartenant à l'État, François Mitterrand ne voit toujours rien.

Ce même 8 juillet 1982, Pelat est aux anges. Il n'a pas à attendre l'arrivée du courrier. Prévenu à la vitesse de la lumière par le cabinet de Jacques Delors, il rend publique la bonne nouvelle :

« Le groupe Vibrachoc est cédé à 51 % à la société Alsthom [*filiale de la Compagnie générale d'électricité*], à 24,5 % à la Société briarde de participations [*filiale de la BNP*], et à 24,5 % à la Société rhodanienne mobilière et immobilière pour la France et l'étranger [*filiale du Crédit Lyonnais*]. »

Le prix global encaissé pour la cession de Vibrachoc est de : 109 999 844 francs. Quelque 110 millions de francs. Pelat en est l'unique bénéficiaire, en France et à l'étranger, par virements sur des comptes ouverts à la banque Hottinguer de Paris... qui fait les règlements :

• 58,669 millions de francs sont perçus par Pelat en personne.

• 43,575 millions partent au Liechtenstein pour être parqués dans Arfina.

• 1,837 million atterrit dans Associated Dampers, une société de droit luxembourgeois, dont Pelat a installé le siège social à Monrovia, la capitale du Libéria, paradis fiscal et pavillon de complaisance africain où le fisc français n'a pas d'antenne.

Pour Pelat, la direction du Trésor n'est pas regardante.

Ce 8 juillet 1982 toujours, elle autorise Alsthom, le Crédit Lyonnais et la BNP à payer Arfina et Associated Dampers sur des « comptes étrangers en francs ». La fraude devient officielle... à Paris.

Le lendemain, 9 juillet, Pelat remet officiellement sa démission de Vibrachoc, où il va tout de même continuer de travailler. De la même manière que Gilbert Mitterrand sera toujours payé pour des prestations fictives de « conseil ».

Débarrassé de Vibrachoc, Roger-Patrice Pelat se frotte les mains. Un an après l'arrivée des socialistes et des communistes au pouvoir, il soutire à l'État un prix inespéré. Selon une étude financière qui m'a été communiquée, la valeur marchande de Vibrachoc ne dépasse pas, à l'époque, 10 à 12 millions de francs, c'est-à-dire cinq à six fois son résultat net, ce qui est « un prix normal, pour une activité industrielle à risque ». On est à dix lieues des 110 millions de francs touchés par Pelat.

J'ai procédé à l'examen des comptes de Vibrachoc : il en ressort qu'au moment de son rachat par Alsthom, la société de Roger-Patrice Pelat est au bord du dépôt de bilan. Elle ne vaut pratiquement rien. À la rigueur, son rachat aurait pu intéresser un courageux repreneur d'entreprises en difficulté, pour le « franc symbolique ». En 1982, le patron de Thomson, Alain Gomez, considère qu'elle n'a en réalité aucune valeur.

En 1993, le juge Jean-Pierre estime qu'il y a, encore une fois, « abus de biens sociaux » en raison du « paiement forcé et injustifié par la société Alsthom, sur ordre des dirigeants de la CGE et de responsables politiques de l'époque [*sic*], aux propriétaires du groupe Vibrachoc, Roger-Patrice Pelat, Arfina et Associated Dampers, d'un surcoût d'au moins 34 988 000 francs, lors du rachat de Vibrachoc. »

Les « responsables politiques de l'époque » s'appellent notamment François Mitterrand, le président de la République, Pierre Bérégovoy, le secrétaire général de la présidence, Charles Salzmann, conseiller à l'Élysée (vieil ami de Mitterrand et futur administrateur d'Air France comme Pelat), Alain Boublil qui, le 30 juillet 1985 — trois ans après —, va devenir actionnaire de la société Internégoce... créée par Patrice Pelat (fils), alors qu'il est encore, à l'Élysée, le conseiller technique du président pour les affaires industrielles. Boublil ne verra pas que cette fonction officielle est incompatible avec son entrée dans le capital d'une société privée qui a compte ouvert (en francs français et en livres sterling) à la banque Hottinguer de Paris. Domiciliée avenue Charles-de-Gaulle, à Neuilly, au siège du petit groupe Pelat, Internégoce donne « dans l'achat et la vente de produits de luxe de toute sorte ». Et dans le vin... sans pots. Un examen rapide de ses mouvements bancaires permet de retrouver la trace d'un encaissement Traboulsi, le 18 octobre 1988, un mois avant le « délit d'initié » dans l'affaire Pechiney. Le serpent se mord déjà la queue.

À la fin de 1982, Alsthom, la BNP et le Lyonnais, les nouveaux propriétaires de Vibrachoc, commencent à comprendre leur douleur... et à vivre un long calvaire. Les coups de martinet ne sont pas terminés. Quelques mois après le rachat imposé de Vibrachoc, il leur faut songer à réinjecter de l'argent frais. Dans une lettre du 13 décembre adressée à ses deux banquiers associés, le secrétaire général d'Alsthom tire la sonnette d'alarme :

« Nous vous confirmons nos récents entretiens concernant les besoins de financement de cette société [*Vibrachoc*]... Nous avons noté votre accord verbal pour participer, directement ou à travers les sociétés actionnaires [*la Briarde de participations (BNP) et la Rhodanienne mobilière et immobilière (Crédit Lyonnais)*], à hauteur de leurs participations au capital de Vibrachoc, à une avance d'actionnaires de 10 millions de francs... Par ailleurs, notre société envisage d'ouvrir dans ses livres, au nom de Vibrachoc, une ligne de crédit de l'ordre de 20 à 25 millions de francs, devant lui permettre d'utiliser, de façon moins soutenue, les concours bancaires mis à sa disposition. »

Autrement dit, Vibrachoc ploie sous les dettes. Il lui faut d'urgence au moins 35 millions de francs, si l'on veut éviter l'accident financier.

En 1982 — l'année de son rachat —, l'entreprise perd déjà 15,298 millions de francs. Puis 17,863 millions de francs en 1983. L'équilibre n'est atteint qu'en 1986, après un apport de fonds propres d'au moins 40 millions de francs et une forte réduction des effectifs de la société.

Les dirigeants d'Alsthom sont scandalisés. Ils se sont fait rouler. Le 4 mars 1983, ils font consigner, « dans un rapport interne, que Vibrachoc a été surévalué, lors de la cession, à hauteur de 34,998 millions de francs ». Le montant retenu par le juge Jean-Pierre comme évaluation de l'« *abus de biens sociaux... sur ordre des responsables politiques de l'époque* » au préjudice d'une société publique : Alsthom.

Pendant l'été 1983, le 2 août — quand la plupart des employés d'Alsthom sont à la plage et que personne ne peut rien voir —, la direction se retourne contre Roger-Patrice Pelat, avec ses maigres moyens contractuels. Elle « actionne » la fameuse garantie de passif de 5 millions de francs. Bon prince, Pelat les rembourse. Pourboire ! Il fait chaud.

Au passage, je remarque que Pelat n'a donné qu'une garantie de passif symbolique (5 millions de francs) quant à la valeur réelle de l'affaire qu'il a vendue à des entreprises de l'État. Pour celles-ci, l'addition ne cessera de s'allonger.

Dès la semaine suivante, le 8 août, Pelat revient à la charge. Il faut encore lui payer 2,4 millions de francs, qui tombent dans l'escarcelle de ses deux fistons, Olivier et Patrice. Cette pincée de millions correspond au rachat de la société IVE, l'International Vibration Engineering, la société dont ils sont les propriétaires et qui détient certains des brevets de fabrication de Vibrachoc. Curieusement, cette nouvelle ardoise n'a pas été incluse dans les 110 millions de francs de 1982.

Même le peu regardant P-DG du Crédit Lyonnais, Jean Deflassieux, commence à trouver la note trop salée. Combien de fois encore va-t-on lui redemander de mettre la main à la poche ? Le 18 octobre 1984, il exprime son irritation dans une lettre à Jean-Pierre Desgeorges, le président d'Alsthom :

« L'évolution de la structure financière de Vibrachoc, écrit-il, vient de rendre impérative une nouvelle augmentation de ses fonds propres. Nous vous confirmons notre accord pour y participer... En raison de l'importance des capitaux déjà engagés et des modalités tout à fait particulières de notre prise de participation [sic], je tiens à souligner que cette nouvelle intervention ne peut être que la dernière... »

Jean Deflassieux sait de quoi il parle au juste quand il évoque les « modalités tout à fait particulières » du rachat de Vibrachoc. Cofondateur du réseau Urba — avec Albert Gazier, Charles Hernu et la secrétaire de Pierre Mauroy à Matignon, feu Marie-Josèphe Pontillon —, Deflassieux est un homme sans complexe :

« Je suis un socialiste banquier avant d'être un banquier socialiste. »

Devant le journaliste de *Libération* Renaud de La Baume, auteur en 1993 du livre *Les Socialo-capita-*

*listes*[1], il évoque cette période, pour fustiger ceux qu'il appelle « les frico-socialistes ».

Au bout du compte, la CGE n'aura plus qu'une envie : refiler à d'autres cette coûteuse filiale. Privatisé en 1987, sous le gouvernement de Jacques Chirac, puis rebaptisé Alcatel Alsthom, le puissant groupe n'ose pourtant s'y résoudre. Car le dossier de 1982 recèle une trop forte dose d'explosifs. En haut lieu, on le sait. Vibrachoc est une affaire d'État... et François Mitterrand tient toujours bon à l'Élysée. Le nouveau P-DG, Pierre Suard, attend jusqu'au 16 février 1994, quelques semaines après la divulgation par *Le Point* (propriété d'Alcatel Alsthom) du rapport Jean-Pierre, dont je fournis ici l'indispensable décryptage. Cette fois, l'occasion est belle pour recéder en catimini l'ex-société de Pelat au spécialiste du caoutchouc Hutchinson, filiale de la compagnie pétrolière nationale Total. Le bébé revient de nouveau à l'État. Mais nul ne connaîtra le prix de la transaction entre Alcatel Alsthom et Hutchinson.

À quoi bon ? Tout est découvert...

1. Éditions Albin Michel.

*Le président qui rit*
*dans les cimetières*

À l'Élysée, Roger-Patrice Pelat entre comme dans un moulin. De tous les amis connus de François Mitterrand, il est l'un des rares à le tutoyer. L'épisode Vibrachoc a détendu les esprits. En décembre 1982, cinq mois après la vente juteuse de leur entreprise, les Pelat emmènent les Bérégovoy en vacances, sous le soleil du Sud tunisien, dans le gentil palace de la verdoyante oasis de Nefta.

C'est Noël. Champagne, liqueurs et chocolats.

Bien sûr, les Boublil sont là. Par hasard. Avec les Colliard, Sylvie et Jean-Claude, le directeur du cabinet de Monsieur le président de la République. Pelat sait s'y prendre. Jamais la renommée de Vibrachoc, sa grosse PME, n'aurait dépassé les frontières de Boutigny-sur-Essonne, sans, notamment, les diligentes interventions de Pierre Bérégovoy et Alain Boublil — les « 2 B », dans le code secret convenu lors des négociations qui ont précipité le rachat de sa firme par trois entreprises de l'État.

Pelat est un rusé. Depuis l'arrivée de François Mitterrand à l'Élysée, il y a pris ses quartiers. Avec une pointe de jalousie, François de Grossouvre me raconte un jour que Roger-Patrice a un smoking en réserve dans la garde-robe du chef de l'État. Il est le seul à pouvoir circuler au palais où et quand bon lui semble, à pouvoir pousser la porte du président sans être annoncé. Ainsi entre-t-il un jour dans le bureau présidentiel, alors que François Mitterrand est en conversation avec Mikhaïl Gorbatchev. Le chef de l'État soviétique est surpris par cette irruption incongrue et, plus encore, par les familiarités de Pelat. Même à Moscou, les camarades chauffeurs ne s'adressent pas de cette manière au président de toutes les Russies. François Mitterrand sourit :

« Je vous présente Patrice Pelat. C'est mon vieil ami. »

À l'Élysée, « Monsieur le vice-président » a depuis longtemps terminé son étude de mœurs. On le sait versé dans les chevaux de course. Il est (de 1982 à 1985) l'heureux propriétaire de Billy the Kid dont on trouve la trace des gains dans les registres de la Société d'encouragement et des steeple-chase de France. Mais, en matière de « turf », Pelat n'arrive pas à la cheville de Walter Sommer (20 chevaux), et Pierre-Nicolas Rossier (115 chevaux), ses deux compères suisses d'Experta Treuhand... qui lui servent de prête-noms pour représenter sa société Arfina (du Liechtenstein) au conseil d'administration de Vibrachoc.

Coïncidence amusante, les gains hippiques de Pierre-Nicolas Rossier sont fréquemment reversés à la société panaméenne Manita Investment Corporation créée par Eloy Alfaro de Alba, le même juriste qui a fondé, à Panama et pour Pelat, la société Elco administration Inc. derrière laquelle « Monsieur le vice-président » a caché, en 1988, une partie de ses plus-values frauduleuses réalisées, par l'intermédiaire de son réseau suisse, dans le « délit d'initié » Pechiney. « Elco..., comme Élysée et compagnie », déclare à la barre du tribunal correctionnel de Paris, au printemps de 1993, Mᵉ Thierry Lévy, l'un des avocats d'Alain Boublil. De mieux en mieux.

À l'Élysée, presque tous les jours, en début d'après-midi, Pelat passe prendre le président pour l'entraîner dans de longues promenades à travers Paris. Casquette sur la tête, les deux gentlemen flânent, saluent les jeunes filles, chinent chez les libraires, chez Gallimard 15, boulevard Raspail... Vers cinq heures, François Mitterrand rentre à son bureau. Et, pendant que son copain règle les affaires de la France, le retraité de Vibrachoc s'en va deviser, ici avec Attali, là avec Boublil, souvent avec Béré ou Charles Salzmann, son « vieux pote » qu'il a présenté à Mitterrand en 1967... Mais jamais avec François de Grossouvre, qui le déteste cordialement et le lui fait savoir.

En Tunisie — le délicieux pays de Bourguiba, où « ces messieurs du palais » ont alors leurs habitudes —, Pelat manœuvre admirablement. En ce Noël 1982, il joue à merveille de son intime amitié avec François Mitterrand. De leur côté, Pierre Bérégovoy et Alain Boublil se mettent en quatre pour s'attirer les bonnes grâces du confident du prince. Roger-Patrice

Pelat est un homme jovial et sympathique. Sa compagnie est agréable. De Boublil, il ne fera qu'une bouchée. Parce que la suffisance du jeune conseiller cache mal ses lacunes. Chez Bérégovoy, derrière l'allure bonhomme, l'ambition est voyante. L'ex-patron de Vibrachoc la repère et sait l'exploiter. Clou du séjour : l'industriel roué organise une escapade dans l'oasis voisine de Tozeur, pour aller y consulter le grand mage de l'endroit. Sous les dattiers et l'œil de Pelat amusé, Béré écoute le devin lui prédire son avenir politique. Malheureusement pour lui, l'oracle ne prévoit pas les spéculations funestes de l'ami du président...

La vente de Vibrachoc en juillet 1982, le « pot-de-vin » grâce à la Corée du Nord en 1985-1986, plus le reste... fortune acquise aux frais de la République, Pelat pourrait en rester là. À sa place, après tant de risques pris, avec autant de témoins, quel fou pousserait plus loin les enchères ?

Pourtant, en novembre 1988, six mois après la réélection de François Mitterrand à la présidence de la République et cette campagne électorale où l'on vit le chef charismatique de la gauche hurler aux loups contre les « puissances d'argent », « Monsieur le vice-président » récidive. Cette fois, il se fait prendre. C'est l'affaire Pechiney. Elle va sonner le glas, certes de l'ami de toujours, mais surtout de la carrière vertueuse de François Mitterrand. Par contrecoup, elle provoquera le décès brutal de Roger-Patrice Pelat, le désespoir et le suicide de Pierre Bérégovoy, la colère et la mort de François de Grossouvre... à l'Élysée. Drame shakespearien.

Est-ce par inconscience, cupidité, jeu, mépris, calcul politique ou aveugle amitié, que François Mitterrand a laissé son ancien compagnon de captivité corrompre ses gens de cour, des membres de son cabinet, des ministres et banquiers, des fonctionnaires à tous les niveaux ? Aujourd'hui réunis, les éléments qui constituent la trame de ce livre donnent un début de réponse. Ils expliquent pourquoi François de Grossouvre a finalement craqué, ne pouvant supporter de voir son nom associé, même de loin, aux prévarications qui ont noirci la réputation du président.

Le scandale Pechiney et l'enquête judiciaire qui s'ensuit vont permettre de déterrer, progressivement, tous les secrets de Pelat, jusqu'aux trouvailles finales du juge Jean-Pierre, à la fin de 1993. Sans l'ami du président, sans sa dernière spéculation à Wall Street, pour quelques petits millions de plus, jamais ce juge, ni aucun autre, ne serait allé gratter partout, pour retrouver le Liechtenstein, la Suisse, le Liberia, le Brésil, l'Angleterre, le Panama, la vente de Vibrachoc, la Corée du Nord, le prêt à Bérégovoy, la SCI de Gordes d'Anne Pingeot, l'argent versé à papa Mitterrand ainsi qu'à son fiston Gilbert... et j'en passe...

21 mars 1994, 19 h 50. Appel urgent de François de Grossouvre. Comme souvent, à l'heure sacrée du *Bêbête Show* et des *Guignols de l'Info*.

« Bonsoir, mon petit. Pouvez-vous passer me voir demain ?

— C'est urgent ?

— Oui, nous devons reparler des recettes de " grand-mère ". Je vous attends à 10 h 30.

— D'accord, mais prévenez votre comité d'accueil, la dernière fois, j'ai dû décliner mon identité. Vos musclés ont eu l'air surpris. »

Le lendemain, ce mardi 22 mars, je l'ai prévenu que j'aurais une vingtaine de minutes de retard :

« Pressez-vous, insiste-t-il. J'ai quelqu'un à voir après vous. »

Ce sera notre ultime rencontre.

Depuis douze ans, nos rapports ont changé de nature. De ce long parcours, de ces deux septennats, je retiens deux grandes périodes. La première, de 1982 à 1986, correspond à celle des années insouciantes du socialisme dominateur. Pour François de Grossouvre, elle est aussi celle de sa lente prise de conscience, à laquelle, comme d'autres, je ne suis certes pas étranger. La seconde s'étale de la première cohabitation entre François Mitterrand et la droite redevenue majoritaire (le gouvernement de Jacques Chirac, 1986-1988), jusqu'à notre dernier rendez-vous, en mars 1994, seize jours avant le soir tragique du 7 avril. Ce sont les années de désillusion. Elles le conduisent insensiblement à devenir, tout en restant à l'Élysée, l'un des opposants les plus farouches à la personne du président de la République, son ami.

En vérité, pendant longtemps — sauf vers la fin —,

il m'arrive de douter de la sincérité de François de Grossouvre.

Je ne parviens pas à me persuader que le vétéran des fidèles, ce patriote — il est vrai d'un autre âge —, puisse être aussi dur, aussi accusateur, à l'encontre du chef de l'État, qui reste malgré tout son ami, puisque le président le maintient à l'Élysée.

Parfaitement informé par ses services, François Mitterrand n'est pas dupe des critiques de François de Grossouvre à son endroit. Alors — quoi qu'il en dise maintenant, après sa mort, pour se disculper —, comment peut-il se faire que le président le garde à ses côtés, à la présidence de la République ?

Les réponses de Grossouvre ne me suffisent pas. Pour moi, ces bizarreries cachent une fidélité à toute épreuve à l'égard de François Mitterrand. À tort, je pense d'abord que Grossouvre est, tout à la fois, le poisson-pilote, le maître espion, l'oreille et l'habile porte-voix du florentin président : s'il caresse ses interlocuteurs — de droite, comme de gauche — dans le sens du poil, c'est sans doute pour mieux prendre la température et faire passer des messages. En effet, je n'ignore pas que nombre de journalistes, intellectuels, hommes politiques, militaires, chefs d'entreprise... défilent chez lui et l'entendent, comme moi, vociférer contre François Mitterrand et ses courtisans de l'Élysée.

À partir de l'été 1993, tout change. Le doute n'est plus permis. Dans son salon, sur le petit secrétaire que surplombent, sous cadre, ses multiples décorations, françaises et étrangères, François de Grossouvre a posé ma *Lettre ouverte d'un " chien " à François Mitterrand au nom de la liberté d'aboyer*, le livre que je viens de publier. Il m'a prié, avec insistance, de le lu: dédicacer. Le livre reste à la même place, bien en évidence, pendant plusieurs semaines. J'en ai été surpris :

« Vous ne craignez pas que le président le voie et se fâche ?

— J'ai mis votre livre là, en évidence, justement pour que le président le voie et lise votre aimable dédicace à mon endroit. J'en ai assez, je veux qu'il sache ce que je pense de lui, tout le mépris qu'il m'inspire... »

Interloqué, j'observe alors que François Mitterrand vient de subir le même sort que Charles Hernu, en 1987 : ses photos ont été enlevées sur la commode et la cheminée du salon. Dans l'un et l'autre cas, ce n'est pas pour me déplaire. Leur présence me mettait mal à l'aise.

C'est à cette même époque, le 29 juin 1993, très exactement, en présence de notre ami Labrouillère, que François de Grossouvre reparle devant nous d'Anne Pingeot, amie de François Mitterrand, et parle du château de Souzy-la-Briche, dans l'Essonne, où, à l'abri des regards, les week-ends sont agréables. Grossouvre est fébrile. Manifestement bien informé, il nous apprend aussi que le juge Thierry Jean-Pierre a non seulement retrouvé le chèque connu de 150 000 francs remis par Pelat, le 6 septembre 1988, à François Mitterrand — celui dont je parle dans mon dernier livre —, mais surtout que le magistrat est en train d'établir le lien entre François Mitterrand et Roger-Patrice Pelat. Justement, « à cause d'Anne Pingeot ».

Grossouvre a compris que la machine judiciaire va enfoncer la porte du jardin secret dont il est, en quelque sorte, depuis si longtemps, le gardien. S'il est demeuré toutes ces années à l'Élysée et quai Branly, c'est qu'à ses fonctions officielles s'ajoute un autre ministère, celui de la maison privée du monarque. Sur ce rôle, il ne veut surtout pas avoir à s'expliquer, dans le cadre d'une procédure. L'enquête du juge Jean-Pierre survient comme une catastrophe : elle fait tout à coup ressurgir le fantôme de Pelat, la trace de ce fameux chèque émis par lui... et encaissé par François Mitterrand, peu avant l'éclatement du scandale Pechiney. Interrogé à ce sujet, au début de l'affaire, l'Élysée a répondu, sans plus :

« Ces 150 000 francs correspondent au remboursement de livres anciens achetés, lors de ses déplacements à l'étranger, par le président François Mitterrand pour le compte de son ami collectionneur. »

Je rappelle, au passage, qu'au début de 1993 cette même amusante version des « livres anciens » (agrémentée de « meubles d'époque et objets de valeurs ») est reprise par l'un des fils Pelat (Olivier), pour justifier — *a posteriori* et dans l'hilarité générale (ce qui contribue grandement à déstabiliser Pierre Bérégovoy) — le « million sans intérêt » prêté par son père, en septembre 1986, à l'ancien et futur ministre des Finances.

Questionné par le juge Jean-Pierre, le gestionnaire du compte de Roger-Patrice Pelat à la banque Hottinguer ajoute que ce versement à François Mitterrand n'est pas unique :

« J'ai entendu parler d'un chèque émis par M. Pelat à l'ordre de François Mitterrand pour un montant, me semble-t-il, de plusieurs centaines de milliers de francs, pour, me semble-t-il également, la campagne de 1988. »

Anne Pingeot ? Grossouvre sait aussi que le juge a mis la main sur un chèque de 270 000 francs établi par Pelat à son ordre, le 16 décembre 1986, trois mois après le million prêté sans intérêt à Pierre Bérégovoy. L'accumulation devient troublante, voire dangereuse.

Outre ce chèque et l'appartement d'Anne Pingeot, rue Jacob, François de Grossouvre évoque — pourquoi devant nous ? — une société civile immobilière qu'il a créée à Gordes, dans le Luberon, « *à la demande du président* ». François ignore que je connais l'existence de cette belle demeure... comme d'autres, d'ailleurs. D'habitude discret sur ses rapports privés et d'argent avec son ami « le président », Grossouvre se lance dans un long monologue :

« Il y a bien longtemps, François Mitterrand m'a parlé d'une maison délabrée et d'un terrain qu'il avait trouvé à Gordes. Pour rendre service et parce qu'il a beaucoup insisté, je l'ai acheté avec lui. Bien plus tard, nous avons créé la SCI de Lourdanaud, qui en est devenue propriétaire. Nous avons effectué des travaux. Ça m'a coûté assez cher. Et puis, je n'y allais jamais. J'en ai eu assez... et j'ai recédé toutes mes parts, sauf une, à Anne Pingeot qui détient la majorité des titres. Chargée de mission à l'Élysée, Laurence Soudet porte les autres. C'est aussi elle qui s'occupe, entretient et aère les autres maisons du président. Amie de René Thomas [*l'ancien P-DG de la BNP*], elle est une sorte d'intendante. Aujourd'hui, Anne est la gérante de la SCI et je n'ai plus rien à voir avec elle, sauf cette dernière part... »

Encore une fois, je ne vois pas où est le mal :

« Pourquoi vous inquiéter, François ? Vous avez tout de même le droit d'être des amis et d'acheter une ruine en commun, puis de la retaper ?

— Que faites-vous de Laurence Soudet ? Comme moi, elle est à l'Élysée. Et surtout de Pelat, de l'argent qu'il a versé à Anne Pingeot ?

— Quel argent ?

— Celui que François Mitterrand n'a pas déboursé...

— Et alors, vous n'y êtes pour rien. Ce n'est pas votre problème. Vous n'êtes pas comptable des embrouilles d'autrui.

— Des rapprochements vont être faits. C'est inévitable. Mon nom va être cité avec celui de Pelat. Il a voulu rendre service au président, a payé pour Anne et s'est occupé de sa gosse. Je reste officiellement lié à Anne Pingeot, de même que Mitterrand, à travers la SCI de Gordes. Anne est une gentille fille, une amie. Cette histoire me peine beaucoup. Mais pourquoi donc nous avoir mis Pelat dans les pattes ? »

Toujours Pelat, cette permanente aversion, si longtemps après sa mort. Insondable mystère. Les réponses vagues, les faux-fuyants de François me font deviner qu'un lourd secret gêne son sommeil. Mais quel est-il ? Ce jour là, il n'en dit pas plus.

Quand je le revois quelque temps après, en tête-à-tête, il me livre à voix basse le fin mot de l'histoire. Celle qu'il répétera, sous une autre manière, au juge Jean-Pierre. Après que celui-ci, à Paris et assisté de gendarmes, l'eut cherché (pour interrogatoire) sur le quai de gare de Lyon, à sa descente du train en provenance de Moulins.

Nous comprendrons plus tard le sens des sous-entendus, des non-dits de François de Grossouvre, lors de notre passage, quai Branly, ce 29 juin 1993.

La SCI de Lourdanaud a ensuite acquis plusieurs parcelles contiguës à la propriété principale, l'une d'elles étant enregistrée en l'étude du notaire Labarbarie. Son nom apparaît dans la liste des chèques de Roger-Patrice Pelat, établie par le juge Jean-Pierre. Parmi eux, 400 000 francs versés le 3 juin 1983, au profit de l'étude de Mᶜ Léo Labarbarie, alors que celle-ci n'est pas un intermédiaire habituel de Pelat. Chez ce notaire de Mazans, dans le Vaucluse, ces 400 000 francs correspondent, encore une fois, à un prêt. Au taux de 11 % l'an, cette fois, Pelat l'a accordé à Bernard Mathieu qui, après 1981, a appartenu, aux côtés de François de Grossouvre et Roger-Patrice Pelat, au Comité des chasses présidentielles. Avec Bernard Mathieu, Pelat est moins laxiste : en juin 1985, il le somme par lettre recommandée de rembourser les 400 000 francs, augmentés des intérêts ; et, n'étant pas payé, il lui envoie un huissier le 26 septembre, avec un commandement à lui payer 494 130 francs. En février 1988, Pelat est enfin entré dans ses fonds, Bernard Mathieu lui ayant réglé au total 557 428 francs, en monnaie sonnante et trébuchante. Fini les livres rares, les objets de brocante.

De Mathieu, François de Grossouvre ne garde pas un grand souvenir :

« Oui, je l'ai connu. Il m'a été envoyé par François Mitterrand. C'est lui qui a déniché la maison de Gordes... »

Convoqué par le juge, Bernard Mathieu déclare :

« Étant proche du président Mitterrand et par conséquent de son entourage intime, j'ai fait la connaissance de Mme Anne Pingeot en 1975... Nous nous sommes rencontrés à de nombreuses reprises. Depuis de nombreuses années, la SCI de Lourdanaud est propriétaire d'une maison sise... à Gordes. Je ne connais pas tous les membres de cette SCI, mais je sais que Mme Pingeot en est la gérante. Il s'agit d'une des résidences de Mme Pingeot et du chef de l'État. »

L'ancien clerc de notaire ajoute :

« J'ai connu Charles Hernu, dans les années soixante-dix. Il venait régulièrement passer ses vacances chez moi à Gordes... Je lui ai fait acheter une maison, qui était la propriété d'Alain Minc. »

Bernard Mathieu explique sa présence au Comité des chasses présidentielles :

« M. François Mitterrand connaissait ma passion pour la chasse et en 1981, lorsqu'il a été élu président de la République, il m'a nommé au Comité des chasses présidentielles... Ce Comité était constitué de Roger-Patrice Pelat, François de Grossouvre, Henri Michel [*surnommé par ses adversaires le « socialiste milliardaire », ami personnel de François Mitterrand et député-maire de Suze-la-Rousse, dans le Vaucluse*], Philippe Mitterrand [*frère décédé du Chef de l'État*] et de moi-même... Mon rôle était honorifique et c'est François Mitterrand qui m'avait personnellement nommé. »

Des épisodes relatifs aux cotes D999, D1192 et 1193, D1646 et 1654, D1802 et 1804, D1942 et 1955 du rapport Jean-Pierre, je ne peux dire davantage, sauf qu'il s'agit d'un vaudeville à l'Élysée. Impossible à relater ici, complètement : vie privée... d'une tierce et jeune personne, d'une innocente victime que François de Grossouvre a voulu protéger. Jusqu'au bout...

Mardi 22 mars 1994. Je garde le souvenir de ma dernière rencontre avec François de Grossouvre. Elle porte, d'abord, sur un document qu'il me remet. François me téléphonera, le lendemain à 19 h 45, pour me prier de ne pas le rendre public, *in extenso*. Je l'ai rassuré :

« Ne vous en faites pas. Cela va de soi. De toute manière, je suis tenu au secret de mes sources. Mais, si vous le permettez, je ferai référence à certains points de son contenu. »

Il s'agit d'une communication faite au garde des

Sceaux, ministre de la Justice, Michel Vauzelle, en novembre 1992, par un brillant intellectuel, iconoclaste, ancien des cabinets d'Édith Cresson et Jean-Pierre Chevènement. François de Grossouvre me prie alors de ne pas révéler son nom. Je ne reproduis donc ici que l'introduction et la conclusion de cette caustique analyse sur la société française et sa justice.

Juste après la mort de François de Grossouvre, je relis ce document. Détail qui m'avait d'abord échappé : plusieurs paragraphes sont signalés par des traits verticaux en marge. J'en suis maintenant encore plus troublé. Ils se rapportent à la justice française et à ses rapports avec la classe dirigeante, intellectuelle et politique. François de Grossouvre a-t-il voulu laisser là un message ? Je reproduis ici, ces passages qui portent ses traits de crayon :

« Mon cher Vauzelle, à mon vif regret, je n'excelle pas aux félicitations, bénédictions, congratulations, et glorifications qu'il convient d'extraire de ses poches devant les grandes fortunes. Contre bien des usages, j'ai omis de saluer la vôtre, quand le président vous installa place Vendôme. En vérité, votre sort ne me semblait pas si enviable qu'il appelât des compliments éperdus. Ma réserve ne vous surprendra pas. Vous connaissez depuis une vingtaine d'années mon jansénisme un peu métallique. Ce qu'il est convenu d'appeler pompeusement " l'État de Droit " subit désormais chez nous trop de torsions et distorsions, pour ne pas inquiéter de très nombreux Français. Il se recrute parmi les meilleurs. En même temps, la corruption du système décompose la morale publique. Il ne me parut donc pas d'excellent goût de saluer sur ce point, en votre personne, l'une de ses plus illustres victimes. (...) Mon cher Vauzelle, peut-être me demanderez-vous quelle mouche me pique, pour quelles raisons mystérieuses je vous écris soudain sur ce ton. Vous connaissez comme moi cette formule due, dit-on, à Lincoln, selon laquelle " un peuple va vers sa ruine quand les honnêtes gens n'ont plus qu'un courage inférieur à celui des individus malhonnêtes ". Sans narcissisme particulier, je ne me crois pas trop mauvais homme, ni vraiment dépourvu de caractère. Il me fallait donc tirer les conséquences de cette position et vous parler nettement, puisque nous nous connaissons. (...) Au moment de conclure, je me demande un peu comment vous prendrez cette lettre. Elle provient de ma sympathie pour vous telle qu'elle débuta, voici vingt-cinq ans, lors d'un inoubliable dîner chez la mère de Mlle.... Au-delà de ce sentiment amical, veuillez prendre d'abord et avant tout en considération mon amour de la France. Il l'emporte sur tout le reste, y compris sur mon amitié pour vous. Comme citoyen, avec je le répète des milliers d'autres, je souffre à en mourir du déshonneur collectif où s'enfonce le pays à force de manigances. Puisque la fortune me permet de me faire lire du Garde des Sceaux, il serait dommage de ne pas contribuer, autant qu'il se peut, au triomphe de mœurs plus honnêtes sur l'espace d'un des plus beaux royaumes du monde, connu dans vos bureaux sous le nom de V$^e$ République.»

Ce 22 mars 1994, cette lettre à Michel Vauzelle ne me paraît pas mériter de longs développements. L'affaire criminelle qui la motive n'est pas de mes compétences. Sur le président de la République, les propos de François de Grossouvre sont plus durs que jamais. Mais je ne le sens pas déprimé, ni atteint d'un quelconque trouble mental. Il est le même qu'avant. Depuis 1982, physiquement en tout cas, il a bien moins vieilli que François Mitterrand. Je le retrouve en bonne forme, alerte, précis, pressé, allant droit au but. Mais il est très en colère :

« J'en ai assez de jouer au chat et à la souris. Je sais, vous devez penser que je suis un traître pour pouvoir lancer de telles accusations contre le président et ses courtisans. J'ai souvent pensé quitter l'Élysée. Un jour, j'ai présenté ma démission. Le président n'en a pas voulu. Je vous l'ai déjà dit, c'est vrai, je vous l'assure. Je reste parce que je pense pouvoir être utile pour pouvoir limiter les dégâts. Parfois j'y parviens. Par exemple, l'année dernière, Michel Charasse a fait le forcing pour être nommé directeur de cabinet du président à la place de Gilles Ménage. François Mitterrand n'y était pas hostile. Je l'ai mis en garde. J'ai appuyé le nom de Pierre Chassigneux, le préfet de la Gironde. C'est un type bien. Sur le coup, le président ne m'a pas répondu. Mais il a écouté. Deux jours après, Chassigneux a été choisi. »

À l'heure où, aux États-Unis, le président Bill Clinton risque son mandat pour une peccadille — on lui reproche, si j'ose dire, d'avoir pincé les fesses d'une passante —, à Paris, François ne supporte plus du tout l'atmosphère irrespirable de l'Élysée. Il commente le rapport Jean-Pierre du 17 décembre 1993, le déménagement par les barbouzes de l'Élysée, après la mort de Pelat, des archives de « Monsieur le vice-président », celles qui intéressent vivement le magistrat instructeur. Grossouvre accuse l'entourage du président d'user et abuser des détestables écoutes téléphoniques et autres procédés de basse police. Il en est indigné. Outre l'actrice Carole Bouquet, scandaleusement espionnée — pourquoi ? —, Anne Pingeot, elle-même, ses voisins ont été « branchés » par la cellule de l'Élysée, fin 1985, sous les noms de codes « Rouen », « Rouen 2 » et « Crabe ». Motif invoqué : « Sécurité personnalités de la Défense. » Les documents qui attestent ces écoutes sauvages sont passibles de l'article 114 du *Code pénal* réprimant, comme un crime, les attentats à la Liberté. Mais la justice n'est pas pressée de prononcer des sanctions...

Grossouvre broie du noir. Dans son salon, la disposition des meubles a changé. Je suis sur le canapé. Il me fait face :

« Vous aviez raison, ajoute-t-il. Le président se comporte comme si les lois n'existaient pas pour lui. Il m'en veut d'avoir répondu aux questions du juge Jean-Pierre, alors qu'il m'avait demandé de faire silence sur tout. Pourtant, je me suis finalement retenu. Au début, le juge m'a choqué. Cette manière d'agir, de faire perquisitionner chez moi, de venir me prendre à la gare alors que nous étions convenus d'une date pour mon premier interrogatoire, tout cela m'a fait du mal. Mais c'est le jeu. J'ai finalement trouvé ce juge très agréable. François Mitterrand ne me pardonne pas d'avoir accepté de lui parler. Quand je l'en ai averti — car, très inquiet, il est venu me demander comment ça s'était passé —, il m'a engueulé. Il était hors de lui. Je ne l'avais jamais vu dans un tel état. Il considère ce juge comme son pire ennemi. Pourtant, comme je vous l'ai déjà dit, quand vous êtes venus me voir, l'été dernier, avec notre ami François Labrouillère, j'avais prévenu le président. Je lui avais bien dit : " *Je suis un citoyen comme un autre. Je n'ai rien à cacher. Si le juge me convoque, je répondrai à ses questions. Je lui dirai ce que je sais.* "

— Il a dû blêmir ?

— Vous savez, mon petit, il a le cuir épais. Mais il est devenu fou furieux quand je lui ai dit que j'avais trouvé ce juge plutôt sympathique. Il ne me pardonne pas, non plus, d'avoir refusé de rapatrier tous mes dossiers à l'Élysée, pour m'en débarrasser entre les mains et dans le coffre de Michel Charasse. Il ne faut pas me prendre pour un imbécile. Le président a voulu m'en donner l'ordre, dans son bureau, en présence de Charasse. C'était le 23 juin 1993.

— Oui, je le sais, vous me l'avez raconté en présence de notre ami François.

— Mais je ne vous ai pas tout dit. J'ai refusé cette réunion à trois. François Mitterrand a insisté, il a voulu me piéger, m'imposer de me mettre en demeure, devant Charasse, de tout donner à ce... type. Non, mais pour qui me prend-il ? Ma réponse a été catégorique : " *Non, il n'en est pas question !* " J'ai même refusé d'entrer dans son bureau, sachant, par le secrétariat, que Charasse y était, alors que le président m'avait promis de me voir en tête-à-tête. Mais j'ai tenu bon. Ensuite, je l'ai vu en tête-à-tête. Il a tout tenté pour que je cède. La conversation s'est envenimée. Je lui ai envoyé des propos qui, normalement, auraient dû l'obliger à me demander de quitter la présidence. Pour la première fois depuis que je le connais, j'ai claqué la porte de son bureau. Le soir même, il m'a rappelé pour me parler. Comme si rien ne s'était passé.

— Ce n'est pas possible, vous forcez le trait. Le président n'a pas pu accepter...

— Mais pas du tout. Vous ne le connaissez pas, il est comme cela... »

Ces dernières confidences de François de Grossouvre sont à rapprocher de celles qu'il nous fait le 29 juin 1993. Je dis « nous », car ce jour-là, je le rappelle, Labrouillère m'accompagne. Sur les notes manuscrites que nous prenons alors, le conseiller du président a lui-même laissé une trace écrite. Ces notes, je les retranscris ici telles que nous les avons archivées. Grossouvre parle des pressions qu'il a subies à l'Élysée, de son conflit avec le président, d'Anne Pingeot déjà, de Pelat, de ses archives que l'on semble tant redouter :

« Le 23 juin [*1993*], François Mitterrand me convoque, tout miel, très enjoué. Il me dit : " *J'ai eu Jean Daniel* [le directeur du *Nouvel Observateur*]. *Il m'a affirmé que vous avez mis en cause certains de mes amis, devant lui.* " Je lui ai répondu : " *C'est exact, je me suis justifié à la suite des articles où mon nom était cité et qui m'attaquaient ; j'ai dit à Jean Daniel ce que je sais ; je le redirai, y compris au juge, si j'ai à m'en expliquer...* " Après cet entretien avec le président, j'ai appelé Jean Daniel pour savoir si, effectivement, il avait eu François Mitterrand au téléphone. Il m'a répondu que tel n'était pas le cas. Ça m'a donné la preuve que ma ligne est écoutée et que je suis surveillé. Le lendemain, le président m'a de nouveau convoqué, à 7 h 15 [*Grossouvre veut probablement dire 19 h 15*]. Il m'a dit : " *Vous devez avoir des documents très compromettants ; vous m'avez dit que vous écriviez vos Mémoires ; êtes-vous toujours en contact avec les Services secrets ?* " Je lui ai répondu par l'affirmative. C'est alors qu'il m'a dit : " *Ce serait bien, si vous mettiez ces documents en sécurité. La meilleure place, c'est l'Élysée, le bureau de Michel Charasse.* " Bien évidemment, je n'en ai rien fait et, dès le soir même, j'ai mis toutes mes archives en lieu sûr, y compris les notes confidentielles sur Jean-Christophe Mitterrand, son ami le maire de Romorantin Jeanny Lorgeoux et la Générale des Eaux. Mon bon Jean, mon bon François, c'est incroyable ! Cinquante ans après, je retrouve l'atmosphère de la Résistance. »

Neuf mois après, ce 22 mars 1994, Grossouvre en est au même point. Sauf que tout s'est aggravé, à cause de sa déposition devant le juge, de sa confrontation avec Gilbert Simonet et le sénateur Perrein, de la parution du rapport Jean-Pierre et, pour couronner le tout, le mépris souverain de ce président qui rit dans les cimetières... où reposent, à l'abri des regards judiciaires, les " Affaires " qui l'accusent.

Dans son fauteuil, à ma droite, François de Gros-souvre me paraît soudain très triste. Bientôt, ses yeux sont rougis par des larmes. Je ne l'ai jamais vu dans un tel état. Je suis embarrassé, tente de le réconforter. Mais il est de plus en plus nerveux. Et là, viennent encore les mots terribles :

« Un jour, on va me flinguer. S'il m'arrive quelque chose, je compte sur vous pour monter au créneau. »

Sous différentes formes, ces propos il me les a tenus à plusieurs reprises. Parfois en présence de François Labrouillère. Une nouvelle fois, je le rassure. Nous parlons de sa famille. Il lui est très attaché. Il y a quelques années, il m'a étonné en me demandant conseil, à propos d'un de ses fils, pour un problème à mes yeux mineur. Il est un bon père. À l'été 1992, il m'a aussi recommandé sa charmante fille Nathalie, passionnée comme lui par l'art cynégétique, pour que je publie, chez Albin Michel, son très documenté *Guide pratique de la chasse en France* où elle recense, à la façon du Michelin, département par département, les meilleures chasses d'un jour ou d'un week-end, à tir et à courre. Excellent, l'ouvrage est finalement retenu par un éditeur spécialisé. Maintenant, un autre projet tient au cœur de François de Grossouvre. Ce sera son dernier vœu :

« Vous me feriez vraiment très plaisir en rééditant *Les Recettes d'une grand-mère et ses conseils*, le livre de ma mère, Renée de Grossouvre, publié chez Hachette en 1978. Il est aujourd'hui épuisé. J'y tiens beaucoup. J'en ai récupéré les droits. Maman était une femme admirable. Je souhaite que la nouvelle édition soit préfacée par l'une de mes filles. Ces recettes, elle les avait écrites, il y a plus de quarante ans, à l'intention de sa belle-fille qui n'entendait rien à la cuisine. »

François se lève, va vers la commode, entre les deux fenêtres qui ouvrent sur les quais de Seine. Du tiroir du bas, il tire le dernier exemplaire qu'il lui reste à Paris :

« Prenez cet exemplaire pour le remettre à votre maison d'édition et voyez ce que vous pouvez faire. »

Chez Albin Michel, nous avons déjà prévu que François de Grossouvre publierait ses Mémoires. À ce sujet, un dîner a eu lieu à l'automne, chez Faugeron, le grand restaurant de la rue de Longchamp, dans le XVIᵉ arrondissement.

La conversation porte maintenant sur le contenu de ce livre testament dont je sais qu'il parle beaucoup, à droite et à gauche. J'ai de plus en plus le sentiment que mon interlocuteur est incapable de sauter le pas, qu'il a toutes les peines du monde à finir de coucher sur le papier tous ces secrets qui lui pèsent sur le cœur : les années de jeunesse et la Résistance ; sa rencontre avec François Mitterrand au début des années soixante ; leur longue traversée du désert ; la gestion des affaires financières, mobilières et immobilières du président ; les liens très anciens de François Mitterrand et René Bousquet, inculpé de crime contre l'humanité avant son assassinat à Paris, en 1993 ; le banquier suisse Jean-Pierre François ; la création d'Urba et les opérations de racket du PS, sur lesquelles je me suis si souvent entretenu avec lui ; la victoire du 10 mai 1981 et l'arrivée triomphale à l'Élysée ; les missions secrètes des services spéciaux ; les contacts et les parties de chasse avec les grands de ce monde ; la libération des otages au Liban ; les dossiers ultra-sensibles ; Benazir Bhutto ; le Gabon d'Omar Bongo ; le roi du Maroc, son ami ; les choses vues en Afrique ; Joxe et l'affaire Greenpeace sur laquelle il me communique (septembre 1985) le rapport secret remis à Mitterrand ; les Irlandais de Vincennes ; l'affaire Luchaire ; celle des écoutes téléphoniques ordonnées par Gilles Ménage à l'Élysée ; les frasques de Jean-Christophe Mitterrand et de sa cellule africaine ; les commissions touchées à Paris, pour la vente en 1993 d'un Falcon 900 à la Namibie, avec chèque à la banque Audi de Zurich ; les manipulations des barbouzes de la présidence ; les amabilités de l'ancien patron de la DST, Jacques Fournet, protégé de Michel Charasse ; les exploits automobiles de Guy Ligier sur le circuit de Magny-Cours ; ceux de l'ancien député socialiste Jeanny Lorgeoux, maire de Romorantin ; l'affairisme insolent de Roger-Patrice Pelat, dont les héritiers conservent aujourd'hui les énormes produits de ses fraudes ; les destinataires des fortunes financières, mobilières et immobilières amassées clandestinement en France et à l'étranger depuis 1981... et tous les autres chapitres que ce conseiller hors du commun se propose d'écrire, pour être publié après le départ de François Mitterrand.

Vers la fin de notre entretien, je reviens sur l'« affaire Joséphine ». Voilà plusieurs mois que je tente, en vain, d'obtenir de François de Grossouvre un commentaire à propos de ce dossier explosif. Curieusement, le juge Thierry Jean-Pierre, lui aussi, en a reçu copie, le 16 octobre 1993, par un courrier anonyme déposé au palais de justice du Mans, accompagné d'un texte composé à partir de lettres découpées dans différents journaux :

« Je ne donne pas mon nom pour raisons de sécurité, il s'agit arnaque incroyable [*sic*]. Enjeu : l'avenir... de François Mitterrand. »

Le magistrat indique que plusieurs copies de documents sont jointes.

Un mois auparavant, au début du mois de septembre 1993, j'ai reçu à peu près le même dossier. Je dis « à peu près », car, à en juger par le bref exposé de Thierry Jean-Pierre dans son rapport, plusieurs des pièces qui me sont communiquées ne lui ont pas été livrées. Et vice versa. Y sont cités, entre autres, les noms du président de la République, de Jacques Attali, André Laignel, un directeur du Crédit Lyonnais, un certain M. Patrick et... François de Grossouvre.

Pour ma part, ce dossier ne m'est pas parvenu anonymement. J'en connais exactement la provenance : il est longtemps resté entre les mains d'une grande figure de la France libre, de mes connaissances, puis dans le coffre-fort d'un de ses amis, lui aussi décédé. Instruction a été donnée de m'en faire le dépositaire. À l'occasion, je découvre qu'un de mes confrères, alors dans un grand hebdomadaire, dispose également de certains éléments sur ce même dossier.

Lui, depuis environ trois ans. Il en a découvert l'existence lors d'une procédure judiciaire impliquant un socialiste.

Pour le juge — qui n'a pas le temps de procéder à toutes les vérifications nécessaires —, l' « affaire Joséphine » reste un grand mystère :

« De l'examen de ces pièces (courriers d'avocats étrangers, affidavit, organigramme...), il semblait ressortir qu'une commission de plus d'un milliard de dollars [*quelque 6 milliards de francs !*] n'aurait pas été versée à un trust domicilié aux îles Cayman [*paradis fiscal aux Caraïbes*], pour sa médiation entre la France (emprunteur de plus de 22 milliards de dollars sur le marché international), et un autre trust, représentant des Saoudiens, prêteurs de ces fonds. Ce seraient des " officiels français " qui sembleraient avoir perçu cette commission sur des comptes ouverts à Paribas Luxembourg. »

Comme moi-même, mais lui avec l'autorité d'un magistrat instructeur, Thierry Jean-Pierre a entendu François de Grossouvre à propos de cet étrange dossier, où l'unité de base est... le milliard de dollars. Grossouvre, lui, assure « n'avoir jamais entendu parler d'une telle opération » :

« Je ne connais pas de M. Patrick à l'Élysée, ni, me semble-t-il, au Parti socialiste. »

Sous-directeur au Crédit Lyonnais, aujourd'hui à la retraite, Hervé de La Mettrie, cité dans les documents reçus par le juge, est entendu le 16 décembre 1993. Déclaration étonnante :

« Début 1984, j'ai participé, à la demande de ma

hiérarchie, à une réunion à Matignon avec M. Delebarre [1], un membre de la DST et un représentant du ministère des Finances... Il a été question pendant cette réunion du paiement d'une commission réclamée par des intermédiaires anglo-saxons intervenus à propos d'un soi-disant prêt sollicité par la France via la Citibank. Il s'agissait manifestement d'une tentative d'escroquerie [*sic*] : les prêts emprunteurs souverains sur le marché international ne dépassaient pas 4 milliards de dollars... Il n'y a pas d'intermédiaire de cette nature pour ce type d'opération... Le montage et la procédure n'étaient pas conformes à ce type d'opération (notamment l'établissement de billets à ordre)... J'ai rencontré à Londres des représentants de la Citibank qui étaient très gênés car ils avaient licencié un collaborateur qui s'était prêté, en exploitant le nom de la Citibank, à cette tentative d'escroquerie... J'ajoute que les escrocs... se recommandaient d'un certain M. Patrick ou Patrice dont ils prétendaient qu'il était un proche du président de la République... Il apparaissait de tout cela que, conscient ou inconscient qu'il s'agissait d'une tentative d'escroquerie ou d'une tentative de compromission, le certain M. Patrick ou Patrice visait sa commission. Pendant la réunion à Matignon, j'ajoute que tous les participants s'interrogeaient sur l'existence et l'identité réelle de ce M. Patrick ou Patrice. »

---

1. Je rétablis ici la bonne orthographe du nom de Michel Delebarre, celui-ci étant présenté, par erreur, dans le rapport Jean-Pierre sous le nom de Delabarre.

Le juge Jean-Pierre n'est pas allé plus loin dans ses investigations. Pour l'heure, son successeur ne semble pas pressé d'agir. Et pour cause, le dossier dort — je l'ai déjà dit —, dans une pièce fermée à double tour. Néanmoins, à ce stade de l'« Ordonnance de soit-communiqué pour fait nouveau », transmise par le magistrat à sa hiérarchie, deux remarques s'imposent, celles dont je parle, à plusieurs reprises, à François de Grossouvre :

1. Les autorités gouvernementales françaises n'ont pas réagi, fourni aucune explication, ni aucun démenti, alors qu'il s'agit de sommes colossales, sans aucun précédent dans l'histoire de la criminalité financière mondiale.

2. Un sous-directeur du Crédit Lyonnais explique, tranquillement, à un juge, qu'il s'est rendu à Matignon, l'hôtel du Premier ministre, pour, ès-qualité, s'entretenir avec Michel Delebarre, le directeur de cabinet du Premier ministre, un responsable des services secrets (la DST) et un représentant des Finances. Extraordinaire ! D'autant que l'on débat, ce jour-là, d'une escroquerie ou tentative d'escroquerie, au préjudice de l'État. Je ne sache pas qu'à Matignon on se réunisse habituellement autour d'une table, à un si haut niveau, pour débattre d'affaires crapuleuses de cette nature, sans que, au moins, le garde des Sceaux, le directeur des affaires criminelles, le procureur général et le ministre de l'Intérieur soient également saisis.

Dans le dossier que j'ai reçu, figure une pièce non signalée par le juge Jean-Pierre dans son rapport.

Il s'agit d'un « écho » paru en Allemagne dans le grand hebdomadaire *Der Spiegel,* en mars 1986, une semaine avant les élections législatives françaises. Ce petit article est intitulé « Milliarden-Betrug ? », c'est-à-dire « Fraude de milliards ? ». En voici le texte qui, lui encore, à l'époque, ne reçoit ni réaction, ni le plus petit démenti du gouvernement, à Paris :

« Juste avant les élections françaises de dimanche prochain, le gouvernement français doit s'occuper d'une affaire bien pénible : on parle en Suisse d'une fraude par les hautes autorités françaises. L'affaire remonte à trois ans. Une importante fuite de capitaux internationaux hors de France, après l'arrivée de François Mitterrand au pouvoir, mit le gouvernement socialiste dans un grave embarras financier. Plusieurs intermédiaires financiers privés se chargèrent alors de contracter un emprunt de plus de 22,35 milliards de dollars [*environ 135 milliards de francs*] en Arabie Saoudite. Paris assurait de fortes commissions aux intermédiaires financiers, en contrepartie de l'affaire appelée " Joséphine ". Les intermédiaires prétendent que les Français firent la sourde oreille lorsqu'il fallut payer les commissions. Celles-ci devaient être versées en Suisse ; c'est donc Zurich qui révèle l'affaire. »

À Zurich, se trouve effectivement un cabinet d'avocats qui harcèle de lettres, en novembre et décembre 1985, le ministre des Finances Pierre Bérégovoy et, en dernier ressort, le président de la République, François Mitterrand. Épouvantable !

Ces courriers font référence à un important prêt offert
à la France, le 24 mai 1983, et réalisé sous le nom de
code « Joséphine », un mois plus tard, en juin. Il est
question d'un accord signé le 6 avril 1984 avec un
fondé de pouvoir du gouvernement, au cours de
rencontres à Zurich et Genève ; d'une proposition de
négociation en vue d'un accord amiable ; d'une
menace de plainte ; de documents déposés dans des
banques suisses et aussi d'une énigmatique société au
nom de Pierce Trust Corporation, à Jersey, qui aurait
pris la place, au dernier moment, de l'intermédiaire
prévu pour encaisser la commission : la Pierce Trust
Corporation américaine.

Établi le 29 mai 1986, un « calendrier des dates »
fait également état de plusieurs réunions avec les
officiels français, à Paris et à Londres, pendant l'été
1982, en 1983 et 1984. Les plus hautes autorités de
l'État sont citées avec, notamment, des réunions à
l'Élysée dont une, le 21 décembre 1983, avec
« M. Mitterrand, M. de Clermont-Tonnerre, M. Patrick ».

Je n'ai pas ici la place de m'attarder sur la lettre du
15 février 1985, adressée à l'Assemblée nationale, au
député-financier du PS, André Laignel, copie étant
adressée à Laurent Fabius et Jacques Attali. Ainsi
que sur les innombrables documents de toutes sortes
qui composent ce dossier... dont un organigramme
complet des acteurs, français et étrangers, de l'opération, avec noms des personnalités politiques, des
sociétés-écrans et des avocats en présence. Je ne

doute pas que la justice française saura faire célérité pour identifier l'escroc et le certain M. Patrick ou Patrice qui s'est amusé à faire perdre leur temps à tant d'illustres personnages... et qui a été à ce point pris au sérieux que même l'ambassade américaine et son consulat général à Londres ont été mobilisés pour enregistrer des déclarations sous serment, dûment timbrées et scellées à la cire, dénommées « affidavit » en droit anglo-saxon. Dans ces déclarations, le nom de François de Grossouvre figure plusieurs fois, de même que ceux de François Mitterrand, Jacques Delors, Raymond Courrière, Michel Delebarre et j'en passe..., tous associés dans le récit de négociations ultra-confidentielles où il aurait été prévu « que tous les documents sans exception seraient détruits, dès réception du paiement final à Luxembourg ».

Extravagant! Invraisemblable!

Savoir que tout cela a été porté à la connaissance des autorités américaines laisse pantois. Il ne peut s'agir — c'est certain! — que d'affabulations, d'une « tentative d'escroquerie »... au préjudice de la quatrième puissance économique du monde : la France.

Mais, curieusement, à notre connaissance, aucune plainte n'a été déposée en France. Ni par le gouvernement, ni par les hautes personnalités citées...

Quand, au terme de notre dernière rencontre, j'insiste auprès de François de Grossouvre pour qu'il me confie le fin mot de l'histoire « Joséphine », il se dresse, agacé :

« Arrêtez avec cette affaire. Je n'en ai pas le souvenir et n'y ai pas été mêlé. »

Rien de plus. Sauf cette petite phrase, toujours la même :

« De toute manière, le président s'en fout ! »

Bientôt, nous nous séparons. François de Grossouvre me paraît éprouvé. Il me reparle de Charasse, de Gilles Ménage. Enfin, de son autre bête noire, Jean-Christophe Mitterrand. Il le déteste. Ce qu'il raconte sur lui est de plus en plus stupéfiant : il assure que tout cela figure dans une longue note manuscrite remise il y a quelques années au chef de l'État. J'ignore alors qu'il tient les mêmes propos à d'autres confrères. À peu près à la même date, il reçoit Pascal Krop de *L'Événement du Jeudi*, qui, lui aussi, a sa confiance. Au point d'accepter de déjeuner, en sa compagnie, avec le directeur de *L'Événement*, Jean-François Kahn, auquel il parle vertement de François Mitterrand et son entourage. À Pascal Krop, il confie son extrême lassitude et lui avoue — ce qu'il n'ose faire avec moi —, son intention d'« interrompre » l'écriture de ses fameux souvenirs :

« À quoi bon, c'est sans issue. Je ne les publierai de toute façon pas. »

Pascal Krop voit un homme épuisé, éreinté, qui craint que l'« on n'attente à [*son*] honneur, qu'on ne [*lui*] monte une sale affaire » :

« Il y a, à l'Élysée, dit-il, une bande prête à tout, une atmosphère délétère de fin de règne. »

Devant moi, le 22 mars, dans le même salon de la présidence de la République, quai Branly, François de Grossouvre répète :

« On cherche encore à me discréditer... »

Mais il me l'a si souvent dit. Bientôt, dans quelques instants, nous allons nous quitter, la destinée va nous séparer. À tout jamais. Dans l'escalier qui conduit au porche de la résidence du chef de l'État et du plus ancien de ses conseillers — là où le garde du corps l'attend devant sa voiture officielle —, François de Grossouvre me quitte, avec encore des mots terribles sur le président :

« En 1981, je croyais en lui. Je pensais qu'il allait faire de grandes choses. Et puis, il s'est mal entouré. La grande erreur de François Mitterrand, ce fut le second septennat. Je lui avais pourtant vivement conseillé de ne pas se représenter. Il n'est pas bon qu'un président reste en place quatorze ans. Je pressentais ce qui allait arriver : tous ces scandales qui ont sali la République. J'ai été trompé. Mon petit, vous ne pouvez imaginer comme tout cela me fait mal. À mon âge, ces choses ne sont plus supportables. »

Seize jours plus tard, le 7 avril 1994, désespéré par trop de vilenies, Grossouvre meurt à son tour. Sur la liste des disparus, il rejoint ceux qui, avant lui, n'ont pas supporté l'ingratitude du prince. Avec cette balle qui le tue dans son bureau, à la présidence de la République, François tire sa révérence à ces « Messieurs du Château »... et au premier d'entre eux, l'ami qui l'a trahi.

À la Pentecôte, le 22 mai, François Mitterrand s'en va grimper, comme chaque année, à Solutré. Flanqué de son inséparable embaumeur Pierre Bergé (bientôt lui aussi « mis en examen », le 30 mai, pour « délit d'initié »), du précieux dévot Jack Lang... et de Monsieur Multi-Services, Georges-Marc Benamou, le président plaisante devant ses gens. La petite troupe de ses courtisans ne se lasse pas de le voir gravir, seul, invincible, les pires épreuves de la vie.

Au sommet de la Roche... du sacrifice — là où jadis nos ancêtres acculaient les chevaux au suicide, en les poussant à se jeter dans le vide, plutôt que d'être pris —, François de Grossouvre n'est déjà plus qu'un lointain souvenir.

*Annexes*

# Trois fausses factures de collection :
## *Globe* payé par Urba...
## et l'argent du racket

*(cf. supra pages 30 à 51)*

# GLOBE

000012

PARIS, le 11 Janvier 1988

MULTI-SERVICES
8 Rue de Liège
75009 PARIS

F A C T U R E
-------------

9.70¹

Pagination globale 24 pages quadri à p
1988 jusqu'au 8 janvier 1989.

Montant H.T....................

T.V.A. 18,60 % ...............

Montant T.T.C..................     896.616,00 Frs     1703

HUIT CENT QUATRE VINGT SEIZE MILLE SIX CENT SEIZE FRANCS

VALEUR EN VOTRE AIMABLE REGLEMENT.     SAISI LE 19.05.88

payé par C.B. sur BCCM n° 6450635 → 298 872,00
      "    "   Traite  "   "   au 31/3/88 → 298 872,00
      "    "     "     "   "   au 3/4/88 → 298 872,00

PAYÉ

20-22, rue Richer - 75009 Paris  -  Téléphone : 48 24 33 44
Modernes Associés - 56 bis, rue du Louvre - 75002 PARIS  ·  SARL au capital de 100.000 F  ·  RC 85 B 09631

G.I.E. G S R
140, Bd Haussmann
75008 PARIS

FACTURE N° 420

Etude, conseil, stylisme, organisation, mise en place et démarrage
de campagne de publicité, séminaires et déplacements.

Montant forfaitaire hors taxe...............390.000,00

TVA 18,60%                              72.540,00

Montant total TVA incluse.................. 462.540,00
                                           =============

Quatre cent soixante deux mille cinq cent quarante Francs

Règlement:  par effet accepté à échéance du 30 Janvier 1989
            à l'ordre de MODERNES ASSOCIES

PAYÉ par Traite au 30.01.89. SIBCCM
le 23/12/88

MODERNES ASSOCIÉS
3, Rue des Pyramides
75001 PARIS
Tél. : 49.27.94.94

Paris, le 8 février 1989

**GRACCO**
140, boulevard Hausmann
75008 PARIS

*FACTURE N° 477*

Campagne de relations presse et relations publiques

   . Organisation d'une conférence
   . Organisation d'interviews et de rencontres avec la
     la presse
   . Création et envoi de communiqués de presse
   . Préparation de dossiers de presse
Montant total des honoraires..........................................F(HT)     126.000,-

Débours hors honoraires

   . Prises de vue et tirage de photos
     en noir et blanc et en couleurs
   . Conception et réalisation d'une invitation
     pour la conférence de presse
   . Réalisation de panneaux pour conférence
Montant des débours hors honoraires.............................F(HT)     33.000,-

COUT TOTAL (Honoraires + débours)................................F(HT)     159.000,-

                 T.V.A. 18.6%......................................     29.574,-

        **COUT TOTAL T.T.C**...............................     188.574,-

Règlement : par traite à réception au 15 mars 1989

3, rue des Pyramides - 75001 Paris - Téléphone : 49 27 94 94 - Fax : 49279840
Modernes Associes · 3 rue des Pyramides · 75001 Paris · SARL au capital de 100 000 F · RC 85 B 09531

# TABLE

" S'il m'arrive malheur,
   c'est qu'on m'aura tué "                                11

Faux " dément " et vrais faux facturiers
   à l'Élysée                                            19

Déçu comme Béré... et sali comme Lucet                   63

" Pompiers socialistes de l'emploi "
   et chevaliers d'industrie                             95

" Vice-président " et affairiste à l'Élysée             141

Tableau de chasse chez Pelat :
   37 millions de pots-de-vin                           173

Les jongleries planétaires
   de la " Mitterrand-Pelat SA "                        201

Le président qui rit dans les cimetières               241

ANNEXES : Trois fausses factures de collection :
   *Globe* payé par Urba... et l'argent du racket       277

*La composition de cet ouvrage*
*a été réalisée par l'Imprimerie BUSSIÈRE,*
*l'impression et le brochage ont été effectués*
*sur presse CAMERON dans les ateliers de B.C.A.,*
*à Saint-Amand-Montrond (Cher),*
*pour le compte des Éditions Albin Michel.*

*Achevé d'imprimer en juillet 1994.*
*N° d'édition : 14007. N° d'impression : 94/565.*
*Dépôt légal : juillet 1994.*